一手打包12本 HOT BOOK

2010 省$ CO $CO 線上書展

古裝經典三美

莫顏 齊晏 梅貝兒

【魔來了】系列

如是我聞
人間無愛 萬物有情
魑魅魍魎、妖物盡出的朝代
三段紅塵彼岸的荒佚野史
無所不在魔來了
豔絕天下 權傾一世 無法無天……

采花系列 981

《妖媚狐》◎莫顏

身為年輕的狐精，白如霜對人類生活充滿嚮往，
為了通過媚術考試，她必須勾引狐仙長老指定的男子，
可偏偏中途卻冒出一個楚鈺襄——
這神秘俊美的男子不但老是破壞她的好事，
居然還知道她的底細？!

采花系列 982

《玲瓏豹》◎齊晏

為了逃婚，她無意間闖入一個奇異的王朝，
遭到謎樣俊魅的他囚禁，
他行為霸道，獨占慾強，
而她則著魔般地深陷其中，無法自拔，
直到某天，她發現了他的秘密——
原來自己闖入的竟是豹族王朝？!

采花系列 983

《奸巧龍》◎梅貝兒

敖浪不懂自己是怎麼了，
竟然因為一個小丫頭而懂得了寂寞跟占有慾望……
白璐是他為自己挑選的巫女，
他是龍族，她是凡人，兩人不應該有過多牽扯，
但一想到她總要嫁人，不能完全屬於自己，
他就萬般難受，這心情該如何收拾？

7月 采花 年度古裝大戲，愛意潮湧，銳不可當！！

古人說心有靈犀一點通，
這指的是心靈相連，情意相通，意念相契合，
可現代人講求效率，
哪有空在那邊慢慢玩我猜我猜我猜猜猜的遊戲啊？
他們都嘛使用自身的超能力，
直接預知未來、心電感應、和靈能量溝通啊～～

8月 橘子說 給你全新update過的【心有靈犀一點通】

橘子說 848《心懷不軌愛上你》◎宋雨桐

她不小心預知了這男人未來七天內會發生的禍事，擔心的跟前跟後，
還很丟臉的要求跟他住在同一間房，卻被他當成了心懷不軌的女人！
現在要怎樣？狠下心來不管他死活？還是……繼續死皮賴臉跟定他？

橘子說 849《心電感應我愛你》◎米琪

祖母說當她遇見真命天子時，她便擁有與他心電感應的能力。
十八歲時，她真的遇見了，他是她唯一心愛的男人，但愛情進行得並不順利啊！
與他的心電感應，知道他的一切需求，卻被他誤會她是跟蹤狂，慘了……

橘子說 850《只有你懂我的心》◎雷恩那

他有雙神秘眼睛，眼神銳利，卻透厭世氣味，她深受吸引，但這實在不妙，
因為他有一言成讖的本事，而且好的不靈壞的靈，若對人下詛咒就會成真，
唉，偏偏她愛都愛了，如今也只能一邊剉咧等，一邊融化他冰封的心啦～～

世上人百百款，心愛的另一半即便稍稍與眾不同了點也沒差咩～～

愛情以最神秘詭異的方式報到，

兩人之間就像意外上映的真實愛情戲，

溫柔也暴烈，還無從彩排。

這場戀愛非得如此刺激不可嗎……

單飛雪

花蝶系列1373

《好傢伙壞傢伙的愛情》

陸玄武篤信人不為己天誅地滅，外型剽悍，個性果斷強勢，
他是製作出無數成功戲劇的王牌製作人，
在片場他就像強勢的軍官，指揮調度，氣勢磅礡，無人敢頂撞。
惡夢是從他得罪金主開始，片子開拍在即，金主撤資，
無奈下他只好接受電視台經理安排，同意另一名金主加入，參與他的製作團隊。
但、這小女生是什麼鬼？!
雖然名叫「小點點」，但她在片場的干擾力可是非常大點！
不僅個性古怪，還意見很多，
惹得他這暴躁的熱血男子不是想撞牆洩恨，就是想將她一腳踹得老遠。
他該如何處理這個麻煩精，好教她乖乖閉嘴，閃到邊邊，讓他好好完成片子？

她極度缺乏安全感，厭倦與人接觸，只想躲在自己的小天地裡，
直到聽從管家的建議，她決定走出去，勇敢的做點什麼——
她沒有夢想，但她決心要幫童年遇見的那個好男孩實踐夢想。
她要主導這齣由她投資拍攝的片子，好成就她心愛的男人。
首先她必須強壯起來，才能和巨人般凶悍的陸先生對抗。
但野馬般狂妄放肆的陸先生可不是好說話的傢伙，
他不斷威嚇她，想逼她知難而退。
她該用什麼方式教這男人聽命於她？
顯然當個乖乖的好傢伙只會吃癟而已，於是她也開始「壞起來」……

面對眼前即將衝擊自己人生的傢伙，兩人該如何「調整」、「使壞」好馴服對方呢？
豔陽高照的8月天——單飛雪給你最清涼舒心的愛情萬靈丹，治好戀愛疑難雜症！

還以為《娶夫》之後，與妳倒鳳顛鸞、風流浪蕩，
此後雲不消，雨不散，永結同心……
無奈天不從人願，非得曲折煎熬，千迴百轉的，苦盡了甘才來啊！

上選 余宛宛 好戲接連篇

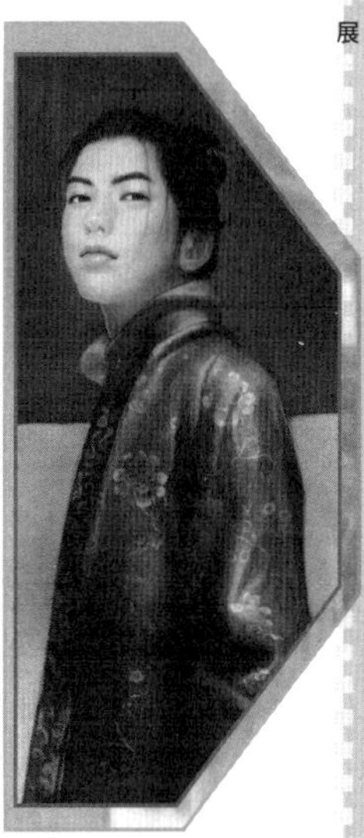

《吾妻》上篇〈棒打鴛鴦〉

花蝶系列 ❶❸❼❹

如果早知道揭破戚無雙女扮男裝的身分，會教她家破人亡，
他寧願一輩子被人指指點點他有斷袖之癖，
與她做一對見不得天日的悖逆情人。
如果捨去皇子身分，能與她一生相守，他也心甘情願，甘之如飴。
然而，錯一步，步步皆錯，他再也回不了頭了……
眼下的他只能收拾起對她的濃烈愛意，冷下貪戀她的熱切眼神，
隱忍下想與她繾綣纏綿雙宿雙棲的慾望，
就算再不捨、再不忍，也得放手讓她去，讓她去撐起她要的那片天。
他能做的，只是懷著渴盼能再在一起的心，為她擋下一切危難，
暗暗守護著她的日子，真箇日日難捱，刻刻煎熬，
偏偏上天還不饒他，她竟然遭人擄走，
生死未卜，他就快被折磨得發狂了……

《吾妻》下篇〈還君明珠〉

花蝶系列 ❶❸❼❺

她從不懷疑藺常風對自己的心、真切的愛意，
畢竟兩人一路走來風風雨雨，癡癡纏纏，早已分不開了……
然而分不開的只是心，心雖然在一起，但為什麼與他形影不離竟是這麼難?!
莫非上天注定她與藺哥哥這一生沒有當夫妻的福分？
為什麼她非得跟別的女人共享他，才是唯一能保有他的法子？
驕傲如她，寧願瞎一輩子不看見，寧願連他都不要，也不願如此委屈。
誰來教教她對藺哥哥這份深植於心中的情感該怎麼割捨？
她試了，但怎麼就是割捨不掉啊，除非把她的心剜下，那還活什麼?!
留下，心難受；不留，兩人都難過，她真的好捨不得再傷他的心啊……

8月花蝶最懇切的告白——

「因為愛妳如命……不，是愛妳勝過自己的生命，
所以，就算考驗來了，磨難來了，分離來了……
都不能教我放棄任何在一起的可能。
我是如此拚命盡心，請妳也不要放棄。」

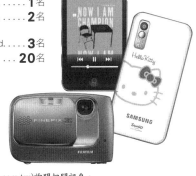

花　蝶　系　列　1369

愛妻小男人

【作者】艾蜜莉

CHI FICTION
Aimili.
Ai qi xiao nan
ren

狗屋 Doghouse 的由來

有一句俚語：

金屋（窩）銀屋不如你的**狗屋**

其實整句話就是做你自己的意思

別人的標準不一定適合自己

狗屋再雜再亂也是自己的Style

其實**狗屋**文化就是每個人的人生寫照

興趣如瞳孔放大不用時時集中

目標常常想向人生高處晉昇

偶爾也興致勃勃向人生低處探險

求知和放鬆想同時發生

狗屋不是一個好笑的名字

狗屋是一種精神和理想

我們可以從古文經典中活生生剪下兩個字下來

但與我們的現今生活毫無交集

狗屋出版社

希望每一本書都是從自己出發

接受了自己也就能接納別人

每一個人的靈魂都能祥和與平靜

love.doghouse.com.tw

花蝶系列1369

愛妻小男人

狗屋出版
定價:新台幣190元
劃撥帳號:19001626
http//:love.doghouse.com.tw
E-mail:love@doghouse.com.tw

著作者……艾蜜莉
發行所……狗屋出版社有限公司
地址……台北市104中山區龍江路71巷15號1樓
電話……02　27765889~0
發行字號……局版台業字845號
法律顧問……蕭雄淋律師
總經銷……知遠文化事業有限公司
電話……02　26648800
初版……九十九年七月
國際書碼……ISBN-13　978~986~240~373~0

歡迎各路人馬踴躍投稿！

無論妳是身經百戰的沙場老將，想要重起爐灶；

又或是陷入進退兩難的僵局，想另闢新戰場；

又或是純粹想尋找另一片全新的舞台，

盡情揮灑妳的夢想，

只要妳能寫出動人美麗的愛情故事，

狗屋/果樹的大門，永遠歡迎妳！！

投稿 圓夢 注意事項：

* 字數限制：9萬～11萬字〈算法為行數×字數×總頁數。以Word為範例，則每頁可設定32行*35字=1120字，字體級數設定12級，80頁～98頁皆達字數標準。〉
* 投稿格式：電腦列印或手寫稿均可。不接受磁片和 e-mail 投稿。
* 回覆時間：自本社收到稿件日起算約四週內。若為**言情界資深寫手**請先致電本社圓夢熱線02-27765889#222呂主編，本社可另以特殊專案處理。
* 請自留底稿。如不採用，恕不退件。需退稿者請自附回郵。
* 想知道更多投稿細節，請上狗屋網站首頁 love.doghouse.com.tw 或點選下列網址了解更多詳情：http://love.doghouse.com.tw/contact/feedback.asp#hi1。

吾妻 上篇〈棒打鴛鴦〉

【作者】余宛宛

如果早知道揭破戚無雙女扮男裝的身分，會教她家破人亡，
他寧願一輩子與她做一對見不得天日的悖逆情人。
如果捨去皇子身分能與她一生相守，他也心甘情願。
然而，錯一步，步步皆錯，他再也回不了頭了……
現下只能收拾起對她的濃烈愛意，冷下貪戀她的熱切眼神，
隱忍下想與她繾綣纏綿雙宿雙棲的慾望，
就算再不捨不忍也得放手讓她去，讓她撐起她要的那片天。
他能做的是懷著渴盼能再在一起的心，為她擋下一切危難，
暗暗守護她的日子，真箇時刻煎熬難捱，偏偏上天還不饒他，
她竟然遭人擄走，生死未卜，他就快被折磨得發狂了……

花蝶系列1376

狗屋出版
定價：新台幣190元
總經銷◎知遠文化事業有限公司

新書預告

春色無邊開

【鬼迷心竅】小套書

【作者】淘淘

戚冬少天生一雙媚眼勾人，只要是讓他看上的獵物，
不分男女老幼，無不春心蕩漾、乖乖聽話，任他捏圓搓扁，
偏偏一遇上小魚這不解風情的丫頭，他的媚術毫無作用，
別人是見了他便愛上了，可她一見他就要暈過去，氣煞人也！
不把她抓回來調教調教，豈不砸他的名聲?!
這戚大少爺是吃飽沒事做嗎？做啥老是直勾勾地盯著她瞧，
瞧不出個名堂便發脾氣，性子陰晴不定的，真難相處！
況且他老是嫌她笨笨傻傻又慢吞吞，哼，她也是有尊嚴的，
怎可任人打不還手、罵不還口？即便打不過他，她走人便是，
可他三番兩次不肯放手，好似跟她纏上了，怪喔……

電話：02-2776-5889　網址：love.doghouse.com.tw

花蝶系列1377

新　書　預　告

【鬼迷心竅】小套書

富貴逼人嫁

【作者】喬安

有錢能使鬼推磨，沒錢萬萬不能行！仲孫隱成日與錢為伍，
加之生財有道，對這道理深信不疑，故即便行事力求低調，
渾身也難以擺脫富貴之氣，但男人嘛，貴氣點也無妨，
他心安理得，怎知這天居然有個叫柳必應的小姑娘找上他，
要他娶她為妻?!噯，錢可以多賺，妻子不能亂娶，
她到底是說真說假……
天下再沒有其他男人比仲孫隱更適合做她丈夫！
瞧他那身金光閃閃、瑞氣千條的衣著，簡直教人睜不開眼，
還會賺錢，她若要完成此生的「心願」，非這男人不可，
她定要他點頭答應成親，這輩子便了無遺憾……

狗屋出版
定價：新台幣190元
總經銷◎知遠文化事業有限公司

電話：02-2776-5889　網址：love.doghouse.com.tw

後宮誘逃

作者◎**羅莉塔．雀斯 Loretta Chase**
譯者◎**林子書**

精神抖擻的英國女孩完成不可能的任務，智勝異教徒惡棍！這是雷柔依返回英國時，報紙頭條新聞的標題。被當成白人奴隸賣進埃及的後宮十二年，她對於官能藝術有異於常人的瞭解。她簡直成了一樁會走動的醜聞，未來一片黑暗……除非有人教導她文明社會的一切。邁奇蒙公爵葛路軒絕非身穿銀色盔甲的白馬騎士。他憤世嫉俗、喜新厭舊，但身為家族好友，他是最有能力挽救柔依那岌岌可危的名聲……如果，他能不被柔依這個古靈精怪的美女誘入熱情之中，而毀掉他們兩人的名聲。

獲頒「美國羅曼史作家協會RITA獎」
厚度與深度永遠得到讀者的珍藏。～《書目雜誌》
《紐約時報》排行榜暢銷作家

一咬難忘

作者◎**琳茜．珊德斯 Lynsay Sands**
譯者◎**李珂霖**

歡迎進入殷氏家族的系列故事——性感的私家偵探莫潔琪要自己不可重蹈覆轍。雖然不論是死是活，殷文生都是她所見過最有魅力的男人。但她可不是來跳上他的床，而是來逮捕殺手，避免這個吸血族被化為塵土。可是，經過四百年的鍛鍊，文生的接吻技巧已爐火純青。而且光著上身在家裡閒晃的他，的確秀色可餐。他同時也很迷人，保護慾強烈……潔琪需要提高警覺，否則她會學到新的守則：如果要愛上吸血鬼，先確定那一咬將令妳畢生難忘。

《紐約時報》暢銷作家
榮獲邦恩諾伯書店讀者五顆星最高評價
令人迫不及待想看下一本——《書目雜誌》

果樹出版社　台北市104龍江路71巷15號　郵撥帳號：19341370
99年7月出版　電話：(02)2776-5889　傳真：(02)2771-2568　網址：love.doghouse.com.tw

流浪貓狗介紹所

為**流浪貓狗**加油 **狗屋**．果樹誠心企劃

和貓寶貝　狗寶貝

廝守終生(一定要終生喔！)的幸福機會

對人來說，貓寶貝狗寶貝只是生活的一部分，
但妳(你)對牠們來說，卻是生活的全部，領養前請一定要考慮清楚——

歐巴桑

性　　別：小女生
年　　齡：約七、八歲
品　　種：混血約克夏
健康狀況：已結紮、植晶片、注射狂犬疫苗和八合一，四合一檢驗過關。

本期資料來源：流浪動物花園
http://www.doghome.org.tw/phpbb2/viewtopic.php?t=342771

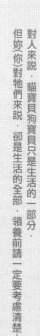

第146期推薦寵物情人

『歐巴桑』的故事：

位於三峽的某大學，不知何時變成了棄狗的「新天堂」，已有不少義工在此拾獲遭到惡意遺棄的家犬，歐巴桑也是其中之一。

經醫生評估，以歐巴桑的牙齒狀況、皮膚顏色看來，大約是七、八歲，雙眼已經開始出現輕微白內障，是個需要照顧的孩子。

歐巴桑安安靜靜、不吵不鬧，願意吃乾豆豆，初到陌生環境雖然表現得很緊張，可是卻會給人抱抱摸摸，非常親人喔～～（牠小鳥依人的模樣真的超級可愛！）但牠有時又像恰北北，喜歡對其他大型狗頤指氣使，自以為是老大，殊不知大家其實是懶得和牠計較。

不過，這樣一個乖孩子，還是有齜牙咧嘴的時候，原來他超級討厭拍照，一看到鏡頭對著它就生氣，令中途忍不住要多拍幾張照片（笑）。

雖然歐巴桑已邁入熟女階段，可是卻與其他流離失所的孩子們一樣，渴望能有一個溫暖的家！

這樣一隻愛撒嬌又可愛的狗狗，真的值得擁有一個家，給牠一輩子的愛。不過，由於歐巴桑年紀也不小了，認養後，就是要伴牠終老，所以一定要想清楚喔！

認養資格：

希望領養人能真心疼愛牠，請詳細閱讀下列認養條件，經過周詳考慮後再做決定，不要因一時衝動而來電。

1. 愛牠一輩子。
2. 需得到全家人的同意，也要確定家中無過敏體質者。
3. 需當牠為家人，並照顧牠一生，不離不棄。（將來不會因為搬家、出國、結婚、生子等問題而拋棄歐巴桑，更不可因為牠年老、生病而遺棄牠。）
4. 在家不關籠子，外出繫牽繩，並給牠一段適應環境的時間，絕對不讓牠再流浪街頭。
5. 每年施打預防針。
6. 每月服用心絲蟲預防藥及滴除蚤藥物。
7. 若有走失或送養、死亡、不能養等情況一定要告知送養人，勿擅自決定。
8. 若認同義工照顧流浪狗的理念，請補貼部分醫藥費2000元，好讓義工幫助更多落難動物（含藥浴、驅蟲、心絲蟲三合一檢驗、結紮、預防針、晶片、寵物登記、狂犬病預防針等）。
9. 認養後請務必撥冗聯絡，讓我們陸續知道牠的狀況，才能安心再去救助其他狗狗。（最好能將牠的生活記事與照片貼在本網站http://www.doghome.org.tw/phpbb2/viewforum.php?f=19「找到幸福」專欄，激勵更多人以認養代替購買。）

聯絡方式：

欲認養歐巴桑的人，請來電（02）2673-3589 劉先生。

第一章

對譚可柔而言，相親是一種沈悶又浪費時間的活動。

偏偏譚可柔有個將她單身未婚，視為比世界末日還恐怖的老媽，每逢週末假日就會替她安排許多相親飯局，誓言非把她嫁出去不可。

星期五傍晚，譚可柔一身淺藕色套裝，合身剪裁襯出她玲瓏有致的好身材，腳上踩著兩吋半高跟鞋，手裡拎著公事包，優雅地走出地方法院，搭捷運回到新買的小公寓。

她一出電梯，打開家門，就聽到桌椅搬動的聲音——

「媽，妳要來為什麼不先通知一聲呢？」譚可柔站在門口，望著手裡捧著一個

羅盤、不斷移動沙發和桌椅的母親，無奈地道。

她搬到這間公寓還不到一星期的時間，地上堆了好幾個沒有拆封的紙箱，家具也才剛剛擺定位而已。

為了逃離老媽的催婚攻勢，她花了畢生積蓄外加貸款買下這間位於市中心、兩房一廳的小公寓，屋齡不算太新，但離她上班的法律事務所很近，生活機能便利。

「我剛打過手機，但妳沒接。」譚媽媽拿了她放在家裡的備用鑰匙跑來，剛剛還請風水師來指點一下，決心要找出最佳的桃花方位。

「我剛在法院出庭，手機轉為震動了。」譚可柔從包包裡掏出手機，果然有好幾通未接來電。

譚可柔任職於「齊霖法律事務所」，在國內頗具知名度，專辦離婚，幾年前，她剛拿到律師執照接的第一件案子就是替好友打離婚官司，表現亮眼，談到一筆可觀的贍養費，簡直是狠狠扒了男方一層皮。

從此「離婚高手」的稱號不脛而走，她成為許多貴婦的御用律師，業界常笑說

凡是在公事上跟譚可柔有交集的男人，小則花錢了事，大則傾家蕩產，令許多已婚男人聞風喪膽，連未婚男士也被她的「豐功偉業」嚇得敬而遠之。

「媽，妳這是在幹什麼？」母親把客廳的家具全都換了位置，譚可柔不解地道。

「我下午有找風水師來妳這裡看過，現在所有家具都不准亂動，還有我擺了株桃花樹在陽臺，妳要按時澆水聽到沒有？」譚媽媽忙得滿頭大汗，邊說邊往廚房走去，打開冰箱拿出一瓶烏龍茶。

「妳又搞這些花招做什麼？」忙了一整天的可柔無奈地癱坐在沙發上，沈著俏臉，低聲抱怨。

「我搞這麼多『花招』還不是為了要把妳嫁出去。」譚媽媽喝了幾口烏龍茶，潤潤喉，從包包裡拿出一張喜帖，推到可柔面前。「妳看看……這個陸一杰寄來了什麼東西？」

「就喜帖嘛……」可柔淡淡地瞥了一眼，無動於衷。

陸一杰是她大學時的男友，畢業後入伍服兵役，她則在準備司法考試，等到他退伍後，她不只拿到律師執照，也受完訓，但陸一杰卻在此時決定和家人一起移民到美國。

當時的可柔頗得老闆器重，企圖心強的她自然不肯放棄在律師界的大好前途，兩人長談了一夜，發現彼此對未來完全沒有共識，選擇和平分手。

「人家寄喜帖來跟妳示威了，報復妳當年拋棄他。」譚媽媽說得義憤填膺。

「媽，他只是通知我他要結婚的消息而已。」她無奈地皺起眉，低喃道：「況且他寄來的是喜帖又不是炸彈，算哪門子的報復？」

「喜帖也算是炸彈的一種！」而且還是刺眼的紅色。

「隨便妳怎麼說。」可柔懶得跟母親爭辯。

「譚可柔，我看妳是背那些法律條文背到頭殼壞掉了，人家是在跟妳炫耀、是在對妳嗆聲啦，如果當年妳跟陸一杰去美國，搞不好現在已經是兩個孩子的媽了，而不是什麼大齡剩女、敗犬女王……」譚媽媽愈說愈激動，要是早知道女兒錯過陸

一杰後，感情世界黯淡到不行，當年她就算五花大綁也要把她綁上飛機。

可柔悄悄地吁了口氣，轉身整理那堆放置在牆邊的紙箱，一一拆箱，將一落落的書放到書架上。

反正聽到老媽連名帶姓喊出譚可柔三個字，免不了要被嘮叨半個小時以上。面對老媽轟炸式的碎碎唸，她一律採用三不政策——不反駁、不生氣、不搭理。

「……我看妳還是照著我的意思去相親好了，上回那個南霸天連鎖休閒企業的小開不錯啊，雖然他的學歷沒有妳高，但好歹也在南部開了十幾家火鍋店，嫁給他妳就是現成的老闆娘，而且南霸天的媽媽很喜歡妳，直誇妳聰明又能幹……」譚媽媽慫恿道，非得在年底前把她嫁掉不可。

譚可柔高學歷、高收入的條件在相親市場上非但不是助力，還成為阻力，再加上已邁入熟女的年紀了，讓譚媽媽更為緊張，擔心她再不嫁出去早晚會成為高齡產婦。

「我才不要跟『三高族』交往。」她腦中浮現南霸天滿臉油光的模樣，忍不住皺起眉頭。

她真的有滯銷到必須「饑不擇食」，連南霸天都「啃」下去嗎？

「南霸天學歷、身高都不高，哪來什麼三高族？」譚媽媽一頭霧水。

「髮線高、體脂肪高、血壓高。」她自認並非外貌協會，但對南霸天成熟穩「重」的外表頗有微詞。

「妳挑剔人家是『三高族』，也不想想自己幾歲了，三十耶，不是二十三歲的青春美少女，還以為自己有多大的優勢？」

譚媽媽一針見血戳中可柔的痛處。

可柔捧著書，呆愣了會兒，沒有回話。

她明白隨著年紀的增長，她在婚姻市場上愈趨劣勢，能選擇的對象愈來愈少。

但婚姻是一輩子的大事，又不是一一列好年紀、學歷、職業、財力證明等，符合條件的就能走進禮堂。

總覺得在符合擇偶條件之下，兩人間應該要有互相吸引的感覺……

並非眼光太挑或者擇偶條件太苛，只是拿到律師執照後，事業心很強的她，一直把生活重心放在工作上，不知不覺就單身了好一陣子。

「可柔，妳年紀不小了，能選擇的對象真的不多，難不成還想要挑個又帥又有型的弟弟，跟妳談姊弟戀——」譚媽媽繼續發揮三寸不爛之舌。

「媽，我又沒說要姊弟戀，我只是還不想結婚而已……」可柔沒好氣地打斷母親的話。

從邁入三字頭開始，母親左一句年紀、右一句年紀，搞得她覺得超過三十歲好像成了罪人……

「妳還不想結婚？」譚媽媽聽到後，激動地拔高音量。「那妳啥時才想結婚？每天回來面對空蕩蕩的屋子不覺得寂寞？孤單？不覺得自己很可憐嗎？」

「如果我隨便找個人嫁，才會覺得自己很可憐。」可柔嚴肅地說。

天天在處理離婚官司和家暴案件，看盡婚姻最醜陋的一面，讓理性的她比任何

人都明白結婚沒有想像中浪漫，「執子之手，與子偕老」在現實生活中都快成為愛情神話了。

就因為維持婚姻不是件簡單的事，需要深厚的感情為基礎，她才不想草率地相親，然後結婚。

「我知道妳一定是打了太多離婚官司，才會姻緣不順……」譚媽媽拍了下手，一副恍然大悟的表情。「下星期我就去參加媽祖遶境的活動，請媽祖婆幫妳消點業障，保佑妳趕快嫁出去……」

可柔無奈地嘆了口氣，就算是想求婚姻也得先拜月老，關媽祖娘娘什麼事？但她懶得糾正母親了，免得又惹來一頓碎碎唸。

更何況結婚這種事，又不是月老拜得夠虔誠，老天爺就會憑空賞妳一個優質好男人。

正當沈思之際，窗外響起一陣熟悉的音樂——「少女的祈禱」，她立刻將堆放在角落的垃圾一一分類放進袋子裡。

「快快快，垃圾車來了……」譚媽媽催促道。

可柔拎著兩袋垃圾，搭電梯下樓，眼看垃圾車即將消失在街角，她拔腿狂奔，趕在最後一秒鐘將垃圾準確地扔進車內。

她停下在路邊喘息，撫著急劇跳動的心臟——

她，譚可柔，今年三十歲。

任職於「齊霖法律事務所」，擅長打離婚官司。

個性充滿正義感，好強好面子又不認輸，得理不一定會饒人。

最近一次心跳超過一百二十下是為了追垃圾車，即便如此，她還是希望能遇上一個有感覺的男人，讓她心跳加速……

其實她並不排斥婚姻，對愛情也有憧憬，渴望為某人心動，為愛燃燒一次，而不是以現實條件為考量，輕易地把自己送進婚姻市場，任人評頭論足……

巨浚書，身高一百八十公分，斯文俊挺的五官配上高大挺拔的身材，穿上醫生袍後，猶如從偶像劇白色巨塔中走出的帥氣型男，吸睛數達百分之百。

憑著酷似言承旭的超帥側面，以及幽默的談吐，常常將病患和護士逗得心花朵朵開，博得白袍王子的稱號。

但白袍王子的美名對他的工作並沒有太大幫助，畢竟醫生是靠醫術又不是賣臉蛋，他只是比一般人獲得多一點關愛眼神和愛心水果罷了，偶爾查房時還得提防慾望師奶伸出「祿山之爪」偷襲他翹挺結實的屁屁。

身為一個小小外科住院醫生，他得熬夜值班，每天都有跟不完的刀、寫不完的病歷報告，忙得像顆旋轉的陀螺，能去的地方除了醫院和住處外沒別的了。

這天，巨浚書脫下醫生袍，拖著疲憊的身軀踏出醫院大門，瞇眼望著頭上白花花的陽光，打了個哈欠。

昨天夜裡急診室來了一位出車禍的病患，全身是血，緊急送往開刀房後，歷經六小時的奮戰，終於將病人從鬼門關前救回來。

超過三十二個小時未合眼，現在他最想做的事情就是回家睡覺。

為了工作方便他特地在醫院附近租了間小套房，節省通車時間。

回到住處後，他脫下衣服，露出一身結實精瘦的肌肉，站在蓮蓬頭下，讓沁涼的水流沖刷過疲憊的身軀。

沐浴過後，他抽起浴巾拭掉身上的水珠，用吹風機胡亂吹了下頭髮，然後拉上窗帘，整個人癱進舒適的大床上，準備好好補眠一番。

他閉上睏倦的眼皮，正要找周公下棋時——

喀喀喀！

喀喀喀喀喀喀——

一陣刺耳的電鑽聲透過牆面傳了過來，巨浚書皺眉，懶懶地翻過身，拿起枕頭蓋住耳朵，杜絕一切的噪音。

砰砰砰——

這回換成了鐵鎚敲打在牆壁上的聲音，轟隆隆地簡直快把他的床給震垮了。

疲勞轟炸的噪音，讓一向好脾氣的巨浚書徹底發火了，他從床上彈跳起來，開門，直接走到隔壁住戶，毫不客氣地猛按電鈴。

鈴——

半晌，公寓的鐵門打開了，巨浚書單手撐在牆壁，低著頭，目光順著那雙穿著夾腳拖鞋的秀氣腳丫緩緩往上移，細緻的腳踝，修長白皙的美腿，被一件白色米妮卡通上衣包裹著的渾圓……

他緩緩抬起頭，對上一張由水汪汪的大眼、挺直的鼻梁、紅潤的粉唇拼湊成的秀氣臉龐，令他眼睛為之一亮。

正妹！

兩個字躍入巨浚書的腦海。

眼前的她有種說不出的小性感，恰恰是他最愛的菜。

他瞬也不瞬地盯著她美麗的小臉，對巨浚書來說，兩人現在正陷入「異性相吸」的反應裡，就科學研究指出，女性皮膚上會釋放出一種獨特的氣味，進而影響

男性的生理、心理和情緒。

這種化學物質簡稱為費洛蒙，經由人類鼻子內側的梨鼻器感應接收，再由大腦的相關神經做出反應，使得人們的荷爾蒙升高，進入互相吸引的境界。

簡單來說，就是他被眼前的美麗芳鄰電到了，對她超有感覺。

「你找誰？」可柔拉開鐵門，疑惑地道。

「妳好，我是住在隔壁的……」巨浚書見到芳鄰小姐，熊熊燃燒的怒火瞬間滅了幾分，心跳不自覺加快了幾拍，語言功能產生障礙。

「有事嗎？」她不冷不熱地說。

眼前這男子好看得猶如從偶像劇裡走出來的男主角，就算深邃的眼睛下掛著兩團黑眼圈，仍無損他的帥氣，凌亂的短髮配上微縐的棉衫，整個人充滿魅力，身上還散逸著淡淡皂香。

不過……

瞧他眼底泛著血絲，一副睡眠不足、精神不濟的模樣，配上那帥到令少女尖叫

的面容，感覺像是夜夜流連PUB的玩咖，狂歡一整晚後準備回家補眠。

該死的，明明房仲人員說這棟房子的住戶幾乎都是作息正常的公務員或上班族，要是鄰居是個玩咖，天天帶朋友回家開轟趴，豈不是會影響到她的安寧。

「妳是新搬來的？」巨浚書記得隔壁的房子空了好幾個月，沒想到是位美女住進來，果真是名副其實的「芳鄰」哪！

「對。」她的口吻明顯變冷淡。

「妳……在裝修房子？」他被電得暈頭轉向，差點忘了敲門的目的。

「是。」

「今天是星期六……」他咧出一抹陽光般燦爛的笑容，森白整齊的牙齒閃耀著，好看到足以去拍牙膏廣告。

他白袍王子的外號可不是浪得虛名，通常只要亮出招牌笑容，就足以電暈一票人。

「沒錯。」她無視於他親切的笑容，眼神冷得足以凍傷人，擺明不想跟一個夜

店咖打交道。

面對她淡漠的態度，他的笑容僵在嘴邊，顯然芳鄰小姐一點也沒有感受到他的善意，這……還是先談正事吧。

「依照大廈管理條例，假日不可實施裝修工程，妳這樣的行為會造成其他住戶的困擾。」他委婉地道。

「我跟大樓的管委會申請過了，也在電梯內的公布欄張貼裝修公告。」她可是依法行事，一切都按照規矩來。

「難道不能延到星期一再施工嗎？」

「沒辦法。」她搖搖頭。

房子的裝潢和擺設都弄得差不多了，她只是想把浴室原來的舊浴缸換成按摩浴缸，再換上新的磁磚和水管電線，預計約三、四天的工作天就完成了，不是大工程，應該不會對其他的住戶造成太大的影響。

「小姐，妳真的不能下星期再施工嗎？我已經超過三十多個小時沒睡覺了。」

巨浚書眼見帥哥牌失效，改走哀兵策略。

「很抱歉，沒辦法。」瞧他晝伏夜出的生活習性，果然是個夜店玩咖。

「小姐，難道妳就不能體諒人一下嗎？」一想到晚上還要回醫院值班，巨浚書的眉頭皺了起來。

可柔微瞇起美眸。

體諒?!

說得她好像很不近人情，但她所有的程序都合法啊，況且身為一個忙碌的上班族，也只有假日才能親自監督裝修工程。

她悻悻然轉身，從玄關處的櫃子裡拿出一張設計簡約文雅的名片遞給他。

他低頭瞟了名片一眼——

齊霖法律事務所，律師。

譚可柔。

巨浚書又瞥了眼前冷淡帶點驕傲神色的芳鄰一眼，實在很難把她想像成一個

「可愛又溫柔」的女人。

「這是我的名片，如果你對於我的行為有任何意見，認為我打擾到你的生活，歡迎打電話到相關單位提出申訴。」她冷著臉。

迎上她嚴肅冷漠的視線，巨浚書感覺到一股壓迫感，他又低頭瞟了名片上的職位一眼，誰會去投訴一個擅長法律條文的律師啊，又不是吃飽撐著。

「小姐，我們是鄰居耶，有必要為了這種小事鬧得這麼僵嗎？」巨浚書對她不近人情的說法頗不以為然。

「我是給你合理又明確的建議。」她冷靜地提出自己的見解。

「妳的建議是沒有錯，但有必要為了一件小小的噪音事件而浪費社會資源嗎？」

「如果你覺得向相關單位提出申訴是浪費社會資源，那就請你這個週末忍耐些，我的施工期到星期一才會結束。」

他還來不及回話，就見她硬生生地關上鐵門，屋內傳出簡短的交談聲，緊接著

震耳欲聾的電鑽聲差點沒把他的耳膜給震破。

「靠……」巨浚書碰了一鼻子灰，低咒一聲。

沒見過這麼囂張又得理不饒人的女人，在電梯內的布告欄貼張公告，就可以理直氣壯地擾人清眠嗎？

瞬間，譚可柔在他心中的地位馬上從芳鄰降格為惡鄰，對她的一點點好感隨著刺耳的電鑽聲灰飛煙滅。

哼，根據中國人命名習俗，這個「譚可柔」肯定命中缺乏「可愛」與「溫柔」才會取這種名，不知道每次人家喊她的名字時，她會不會覺得很心虛？

✿ ✿ ✿

星期三晚上，巨浚書值完班，回到租賃來的公寓大樓，打開大門，眼前映入一抹嬌纖的身影，瞬間攫住他的目光。

女子穿著一襲黑色及膝洋裝，腰後束了個簡單的蝴蝶結，婀娜多姿，腳上踩著

同色系的細跟高跟鞋，在磁磚地板上敲出一串清脆的足音，往電梯口走去。

——又是他的菜。

巨浚書不禁納悶，最近他是走了什麼桃花運，竟然接二連三遇見自己欣賞的類型。

光看她的背影，就讓他心跳加快了，不曉得正面是不是和她的背影一樣美麗？

在電梯門快要關上之際，巨浚書快步跟上，喊道：「等一下——」

他大步走入電梯內，魯莽的差點撞上女子，兩人四目交接，女子優雅地往後移開一步，目光淡漠地掃了他一眼。

啥？又是她！

命中注定與「可愛溫柔」無緣的律師小姐。

「謝謝。」巨浚書澀澀地說，早知道就慢一分鐘進門了，這樣他就不必跟這個驕傲又冷漠的女人搭同一步電梯。

這個女人冷冰冰又跩兮兮，她的男人搞不好抱一座冰山都比抱著她溫暖。

「不客氣。」可柔淡淡地道。

他注意到電梯內的地板上有一灘小小的水漬，不曉得是哪個住戶把飲料潑灑出來，趕緊移開腳步避開來。

密閉的空間裡，光潔的鏡面映出兩個並肩而站的身影，可柔以眼角餘光瞄了身側的男人一眼，他的黑眼圈真的和貓熊有得拚了。

唉，這種不務正業的男人真的是……

不過她在他身上沒有嗅聞到酒精味和菸味，反而有股淡淡的藥水味。

兩人的目光在鏡子裡交會，巨浚書坦然地瞪回去，她今天的裝扮不同於前幾天隨興，一襲黑色的小洋裝將粉嫩的肌膚襯得更加白皙，烏黑的長髮鬆鬆地綰成髮髻，露出頸肩優美的線條，散發出輕熟女才有的優雅性感。

好吧，他必須很老實的承認，雖然覺得她機車又囂張，但還是忍不住欣賞她的美麗，誰叫男人是視覺性動物呢？

驀地，日光燈閃了下，兩人不約而同抬頭望向天花板，緊接著攀升中的電梯重

重地搖晃了好幾下，燈光一暗，陷入一片黑暗。

「地震！」兩人異口同聲喊道。

巨浚書重心不穩，一腳踩到地板未乾的水漬，踉蹌地滑了下，高大的身軀硬生生貼抵在可柔身上，嘴角還碰到兩片柔軟的唇瓣——

她驚愕地瞠大眼，尖叫聲全被他封在嘴內。

幾秒鐘後，電梯不再搖晃，日光燈亮起，兩人目光相鎖，距離近到可以看見彼此瞳孔的顏色。

他沒有想到她雖然說話犀利又刻薄，但唇瓣竟然這麼柔軟，甜美的觸感從唇蔓延到心底。

他愣怔了半秒鐘，意識到兩人的舉止太過親密，連忙退開來。

「摸夠了沒有？」她凜聲道，意識回籠後，美麗的臉上彷彿罩了一層冰霜。

「啊？」巨浚書順著她銳利的視線往下移，發覺自己的右手正不偏不倚地罩住她柔軟的胸部。

啪！

他還來不及反應，一記熱辣辣的巴掌就毫不留情地印在臉上。

「色狼！」她的美眸升起兩簇怒火，嬌吒道。

趁著電梯晃動不穩時吻她已經夠可惡了，還下流地伸出鹹豬手吃她豆腐?!

「小姐，妳誤會了……」他連忙抽回手，一臉無辜，急欲澄清。

「誤會？」她瞪著他，音量不自覺拔高。「信不信我會告你？」

「妳要告我什麼？」他只不過是重心不穩不小心「撞」到她的嘴唇、「碰」到她的胸部，有必要把事情鬧得這麼大嗎？

「性騷擾。」

「我哪有對妳性騷擾？」他對她的指控頗為不滿。「那是因為剛才地震，電梯搖晃，我才不小心親……碰到妳的嘴唇。」

「你的嘴碰到我的唇可以說是意外，那你的手呢？」她指著他的右手，不悅地輕哼了聲，擺明不相信他說的話。

「譚小姐，妳看看下面這灘水漬，我是因為電梯搖晃，踩到這灘水漬，重心不穩才會不小心碰到妳的胸部。」他抬頭指著天花板上的監視器，辯駁道：「再說天花板上有攝影機，可以監錄我們的一舉一動，就算我真的想騷擾妳，也不可能挑在電梯內。」

「剛才電燈壞了，裡面黑成一片，誰知道你是不是趁黑蓄意騷擾我？」可柔提出合理的質疑。

噹的一聲，電梯抵達所屬樓層，鏡門輕巧地滑開，巨浚書率先跨出，可柔沈著臉跟在他身後，兩人的戰火從電梯內延續到門口。

「譚小姐，犯罪要有動機，妳有什麼理由指控我想對妳性騷擾呢？」巨浚書深邃的眼眸也跟著冒火，都說是場意外了，她為什麼就是不信呢？他的長相有猥瑣到像個色狼嗎？

「你摸我的胸部這還不算是性騷擾嗎？」

「我是不小心碰到妳的胸部沒錯，但對一個專業的醫生來說，我碰觸到的只是

一堆脂肪，我不曉得那堆脂肪有什麼值得我去犯罪的？」巨浚書好脾氣盡失，掏出一張名片塞給她。

「既然妳這麼愛告人，拿去，這是我的名片，我相信就算妳提出告訴，司法也會還我清白，因為我根本沒有騷擾妳，一切都是意外。」

可柔瞟了名片一眼，又抬頭瞪住他，吶吶地說：「你姓巨？」這個姓氏在台灣並不多見，不曉得這傢伙跟她好友的老公巨浚琛有沒有關係？

「是。」他不耐煩地說。

「你認識巨浚琛嗎？」她試探地問，眼前這男人該不會就是巨浚琛的弟弟吧？印象中她的閨中好友周意瑟好像有提過自己的小叔在當醫生。

好幾次，大夥兒一起約出來聚餐時，好友都對她的醫生小叔讚譽有佳，直誇他雖然小她們三歲，但是是新時代優質好男人，帥氣與涵養並存，惹得幾個單身的好姊妹直嚷著要她當紅娘，介紹他跟大家聯誼——

該不會他臉上的黑眼圈是在醫院熬夜值班弄出來的吧？

如果是的話，那就糗大了，她一直以為他是鎮日泡夜店的不良玩咖，才會一口咬定他有性騷擾的嫌疑。

「巨浚琛是我二哥，怎麼？你們認識啊？」

「對。」她簡潔地一語帶過，並強壓下心底的震驚。

世界上竟然有這麼巧的事！

其實她不只認識巨浚琛，當初他和好友周意瑟結婚時，她還出席了兩人的單身派對，並送上一張新式結婚證書當禮物。

不過她並不打算跟巨浚書談太多，畢竟跟陌生人裝熟搭訕不是她的長項。

「妳該不會和我二哥交往過吧？」巨浚書問得小心翼翼。

他二哥婚前可是個標準的愛情玩咖，這美麗的惡鄰該不會是二哥的前女友群之一吧？

「想太多。」她輕哼一聲，睨了他一眼。「性騷擾的事，我就信你一次，當作是場誤會。」

看在好友對他的正面評價，加上他除了用手碰觸到她的胸部外，並沒有做出其他色情的舉止，令她相信或許一切正如他所說的，是場意外。

「誤會？」巨淩書無辜地揚高音量，指著自己的臉頰。「譚小姐，因為妳的一個誤會，我可是挨了妳一記巴掌。」

「要不然你想反告我嗎？」她昂起下顎，揚揚眉，臉上毫無歉意，就算是誤會，她也損失了一個吻，還被吃豆腐欸！

更可惡的是，巨淩書這傢伙居然說他只摸到一團脂肪，而脂肪正是所有女人避之唯恐不及的天敵，氣死了。

「算了，當我沒說。」他摸摸鼻子自認倒楣，這女人的字典裡也許根本沒有對不起三個字。

「晚安。」她回給他一記不算太親切的笑容，轉身，掏出鑰匙，開門進屋。

巨淩書見到她的笑容，彷彿有股電流竄入心房，胸口痲痲燙燙的，她美得出奇的臉龐、窈窕曼妙的身材，她所有的一切都強烈地吸引著他。

直到她進屋關上門，他還是捨不得收回目光，唉，他又不是北極熊，幹麼沒事去招惹一座冰山，但偏偏這座冰山是他的菜啊，害他陷入理性與感性的痛苦掙扎中……

第二章

跟冷冰冰又跩兮兮的律師小姐離別後，巨浚書掏出鑰匙，轉身回到自己租賃來的小公寓，一房一廳的格局，坪數不算大，但對一個單身男子而言，住起來算是舒適。

關上門後，他伸手撫著臉頰，明明她甩巴掌的力道不大，但他臉上好像還留有她手心的溫度，熱辣辣的。

想起兩人在電梯內不經意的碰觸，他口是心非地譏諷她說自己只摸到一團脂肪，瞧她氣得牙癢癢又無可奈何的模樣，竟有那麼一點點可愛……

不曉得她跟情聖二哥是什麼關係，公司業務往來的工作伙伴嗎？

以後他跟律師小姐就是鄰居了，兩人之間的距離僅隔著一堵牆壁，想到她，他的心有點浮浮的。

巨浚書打開燈，脫下鞋，踩在磁磚上，感覺腳底濕濕涼涼的，打斷了他的思緒，低頭一看，地板上汪著一灘水，散亂在地毯上的原文書、報告、DVD，還有玩到一半懶得收拾的Wii全都浸泡在水裡，空氣中飄散著一股潮濕的味道。

「Shit！」巨浚書低咒一聲，搞不懂好端端的房子怎麼會淹水，難不成是他出門前浴室的水龍頭沒關？

他捲起褲管，踩過濕淋淋的地板，來到浴室，發現水龍頭有關緊，卻不斷有水從磁磚上的排水孔冒出來。

他花了幾分鐘檢查流理檯和馬桶的水管，確定沒有漏水跡象後，便打電話到樓下的管理室詢問這幾天有沒有其他住戶進行整修房子，結果，整個月只有七樓譚小姐的公寓有裝修過。

他回到浴室，貼近水泥牆面，聽到一陣潺潺的水流聲，立即趕到譚可柔的公寓

門口，猛按電鈴。

老祖宗說得沒錯，漂亮的女人都是「禍水」，她搬來當他的鄰居不到一個星期就讓他家淹水了。

「巨浚書，你門鈴按得這麼急，最好是有很要緊的事。」可柔拉開門，看著他一副亂箭穿心、十萬火急的模樣，不悅地沈下俏臉。

方才剛進屋，她的手機就響起，一位長期飽受丈夫精神和言語虐待的女士決定和富商丈夫離婚，委聘她當律師，她忙著在電話中跟對方敲定諮詢時間。

「妳浴室的水龍頭是不是沒有關？」巨浚書劈頭問道。

「什麼？」可柔愣了愣，握著才剛結束通話的手機，完全聽不懂他在說啥。

「我懷疑妳的屋子在進行裝修時，工人挖到我浴室的水管，導致我家淹水了。」巨浚書說。

「我裝修我的浴室，怎麼會跟你家的水管有關呢？」可柔聽得一頭霧水。

巨浚書沒空跟她多作解釋，悍然地推開她，大步走入她家裡，完全不理會可柔

在身後聒噪著。

「巨浚書，你到底要幹什麼？你這樣叫做非法入侵民宅，信不信我可以告你？」可柔緊張地跟在他身後，完全搞不懂這個男人要幹麼。

要是他敢亂來的話，這次她才不會看在好友的分上放他一馬，絕對要告到他破產，讓他賠到只剩下一條內褲。

「律師小姐，等我們把淹水問題解決，再來討論誰要告誰這個問題。」巨浚書霍然轉身，邃亮的眼睛精明地盯住她，語氣嚴肅地說。

這女人是怎樣？每次見面開口閉口就是告人，難道不能用和平理性的方式解決問題嗎？

可柔迎視他微慍的臉色，不甘示弱地回瞪了他一眼。

巨浚書直接打開浴室的門，注意到她家浴缸裡的水漫到磁磚上，流進小小的排水孔，他拿起沒在浴缸裡的蓮蓬頭，發現她的水龍頭根本沒有關緊，他懷疑可能是她家浴缸下的水管破裂，加上水龍頭又沒有旋緊，導致積水太多，排放不及，漫淹

到他家。

「妳的水龍頭沒有關緊……」巨浚書提醒道，順手把水龍頭扭緊。

「我出門時走得太急了……」可柔吶吶地說。

下午，她從事務所回到家後，泡完澡，急著要去參加友人餐廳的開幕酒會，匆忙之際，竟忘了關水龍頭。

「律師小姐，簡單來說工人在裝修妳的房子時好像掘到水管路線，所以妳家的水淹到我家去了……」巨浚書簡短說明。

「你有什麼證據證明你家淹水是我造成的？」她雙手環胸，語氣強勢地道。

「我問過管理員，整棟公寓只有妳的浴室進行裝修，在妳還沒搬來之前，我的屋子沒有淹過水，但從妳入住施工後，即便我沒有使用浴室，地板還是濕的，這幾天我都在醫院值夜班，所以一直沒有機會跟妳反應……」難怪每天早上回家時，浴室地板都濕答答的，原來罪魁禍首就是她。

巨浚書不給她反駁的機會，直接拉起她的手，離開浴室，打開大門，走進他

家，兩人一起踩過濕答答的地毯。

「律師小姐，這些全都是妳的『傑作』，現在我們可以開始討論誰要告誰的問題了嗎？」巨浚書隨手撈起一本浸在水底的原文書，整本書泡得稀巴爛，上頭還滴著水，連翻都不能翻。

如果她的態度再溫柔謙遜一點，不要動不動就把告人這件事掛在嘴邊，他還不會這麼生氣，頂多就是自認倒楣，要她把水管修好就行了。

「等一下，我先打電話叫裝修師傅來看一下，如果確定是我的房子施工造成你家淹水，我一定會負起全責。」可柔直爽地應道。

「好。」巨浚書點點頭，隨手將泡在水底的DVD和遊戲機一一撿起來，放在茶几，側過頭，忍不住開始打量譚可柔。

她倚在玄關處的鞋櫃旁，持著手機，以嚴肅的口吻要求裝修師傅立即趕來「災難現場」，雙方溝通的過程中她不斷搬出一堆法條和合約內容向對方施壓。

巨浚書看她談判時一副盛氣凌人的模樣，忍不住慶幸他是這次災難的「受害

者」，而不是加害者，否則肯定吃不完兜著走。

他凝視著她清雅的側臉，綰在頭上的髮髻微微地鬆了，幾綹柔順的髮絲垂落在耳際和臉頰，柔化了她冷凝的神態，他必須承認她真的是一個很容易引起男人注目的女人，但前提是必須閉上嘴巴不要說話。

十分鐘後，她講完手機，朝巨浚書走過來。「我剛打電話給負責裝修的師傅，他答應等會兒趕過來檢查浴室的水管。」

「嗯。」巨浚書輕哼一聲，看著她拿起手機在客廳四處拍照，不解地道：「妳這是在做什麼？」

「拍照蒐證啊，如果確定你的房子淹水是因為我的裝修工程造成，我會照價賠償你的損失。」她望向他，停下拍照的動作。

巨浚書不置可否地點點頭，譚可柔不愧是律師出身的，凡事講求證據，樣樣盤算得清清楚楚，不曉得她是不是永遠都這麼冷靜理智？

他倒滿想看看她失控的模樣，肯定很有趣……

自從過了血氣方剛的青春期，他就沒有對一個女人這麼好奇過了。

她挑起了他的興趣，明知道這女人既強勢又凶悍，卻想靠得更近。

他想自己上輩子肯定是北極熊投胎，所以現在才會對這座「冰山」感興趣。

他任憑她拿起照相手機，把浸水的物品一一拍下照片，甚至拿出筆記本列下清單，儼然一副公事公辦的姿態。

半個小時後，負責裝修的葉師傅拎著工具箱上樓，巨浚書陪她帶水電技工檢查水管線路。

「譚小姐，我想可能是工人施工裝設新的排水管時不小心掘到舊的管路，所以才導致隔壁住戶浴室漏水，詳細情況要等把浴室的牆壁打掉才能確定，我跟妳排月底來檢查，如果確定是我們施工造成的，就不會再跟妳多收裝修費。」葉師傅說。

「月底？」可柔蹙起眉頭，抗議。「你們月底才能來，那這段時間我怎麼辦？我這邊的水龍頭一開，隔壁就漏水耶～～」

可柔簡直難以相信，她第一次買房子就遇上「房事」危機，還波及住在隔壁的

巨浚書。

「譚小姐，最近我們公司裝修的案子排得很滿，我也是儘量幫妳往前挪檔期了，這兩個星期就請妳多擔待一點了。」葉師傅一臉無奈。

「但是——」

沈默已久的巨浚書打斷她的話。「師傅都說月底會來幫妳裝修了，這段時間妳就忍耐一下吧。」巨浚書緩頰，轉頭對水電技工說：「葉先生，這麼晚還要你跑這一趟，月底的裝修工程就麻煩你了，我送你下樓。」

「不會，這是我應該做的。」葉師傅客氣地道，他拎著工具箱，朝可柔微微頷首，在巨浚書的陪同下，一起搭電梯下樓。

幾分鐘後，巨浚書送走葉師傅，搭電梯上樓，又回到可柔的公寓。

「巨浚書，你這是什麼意思，為什麼不讓我跟他把裝修的檔期喬出來呢？」她抬眸追問道。

她對巨浚書主動介入自己跟水電師傅的談話略有微詞，尤其是他送師傅下樓那模樣，儼然一副「一家之主」的姿態，令她覺得怪怪的——

他們之間沒有熟到這種程度吧……

「妳沒看見他的行事曆排得滿滿的嗎？」巨浚書語氣平穩地說。

「是他們施工不當造成的，本來就該負起修繕的責任，現在你讓他拖到月底再來施工，這段時間我怎麼使用浴室？」她雙手環胸，沒好氣地抱怨，難不成要她天天「乾洗」？

「雖然是對方理虧，但妳講話不要這麼強勢，圓滑一點不是比較好嗎？」巨浚書望著她微蹙起的眉心，低語道。

她聞言，輕睨他一眼，很想開口回嘴，但又覺得他的話不無道理，得罪了施工師傅對她沒有好處，只會把氣氛弄得更僵而已。

「如果妳不嫌麻煩的話，這段時間可以使用我家的浴室。」巨浚書體貼地說。

「我們非親非故，你居然要把浴室借我使用，是想打什麼主意？」她昂起美麗

的下顎，眼神警戒地打量他。

「拜託！」他高舉雙手，一臉無辜地澄清說：「我哪敢動歪主意，純粹是看在妳是我二哥的朋友分上，又是我的鄰居，主動釋出善意，敦親睦鄰也錯了嗎？」

他必須承認自己對她有點感覺，所以釋出的「善意」也多了好大一點。

「我才不是你二哥的朋友。」她輕睨了他一眼，澄清她跟巨浚琛的關係。

她越過他的身邊，走到冰箱前，取出了兩瓶飲料。

「妳不是我二哥的朋友？」巨浚書的目光隨她的步伐移動，注意到她身上的黑色洋裝背面的剪裁十分有巧思，形成一個V字形，微微敞露出一截雪白的肌膚，性感到教他心悸。

「正確來說，我是你二嫂周意瑟的高中學姊，我們以前都是學校的儀隊。」她將手裡的另一瓶可樂遞給他。

「那我怎麼沒有在他們的婚禮見過妳？」巨浚書稍微算了一下，她要是二嫂的學姊，起碼比他大三歲——

不會吧？她已經三十歲了？

他一直以為她的年紀頂多跟他差不多，尤其是兩人第一次見面，她清秀的臉上沒有化任何妝，隨意束個馬尾，看起來很秀氣年輕，說她還在唸研究所，他也會信。

唉，不管是素顏的她，還是眼前散發輕熟女魅力的她，都把他電得七葷八素，心動不已啊！

她跟二嫂是好朋友，又是他的鄰居，也就是說他可以來個「近水樓臺先得月」，但前提是他能不被她冷冰冰的態度給「凍」傷才行。

「意瑟結婚那天，我剛好到上海出差，所以沒辦法參加。」可柔說。

巨浚書點點頭，又將話題帶回來，他從口袋裡掏出鑰匙，取了下來。「在妳的房子裝修完工前，隨時可以使用我家的浴室。」

他拉起她的手，把鑰匙放在她的手心。

雖然這個行為大膽了一點，不過要讓她卸下防備的前提，就是要先學會信任她

吧！

她瞥了眼手上的鑰匙，揚眸疑惑地望著他。

他給她家裡的鑰匙，這是什麼意思？他們有這麼熟嗎？

「與其讓我家天天淹水，不如把浴室借給妳用，反正我這星期都在醫院值夜班，我們見面的機會近乎等於零。」他怕她會覺得尷尬，故作輕鬆的口吻說：「當然，下個月的水電帳單就麻煩妳了，使用者付費嘛！」

「放心，水電帳單和損失清單，你一併列給我，我會負責到底的。」她篤定地說。

「那就這樣說定了。」他站起身，拿起手上的鋁罐，對她說：「律師小姐，謝謝妳的可樂，我回去了。」

「晚安。」可柔陪他走到玄關，送他出門。

「晚安。」

送走巨浚書後，她鎖上門，窩回沙發上，攤開手裡的鑰匙，凝望了好一會兒。

雖說，他給她鑰匙是因為水管漏水，才大方出借浴室讓她使用，但就這樣進出他的房子，總是太親密了。

就算兩人住在隔壁，但嚴格說起來根本就算陌生人，他怎麼能這麼信任她呢？

明知道巨浚書的舉動只是單純的敦親睦鄰，但看著手裡的鑰匙，卻有一種說不出的曖昧感覺……

有多久，她不曾收過男人給的鑰匙？

✿ ✿ ✿

為了避免在家沖澡會再次讓巨浚書的屋子漏水，在水電技工來家裡裝修前，她每天都拎著一個提籃，裡面放了洗髮精、沐浴乳、卸妝乳、浴袍等盥洗用品，來他家梳洗完畢後再回去。

剛踏進他家時，她好奇地觀察過屋子裡的擺設，但活動僅限於他客廳和開放式小廚房。

實木的書架上擺了一堆醫學類的原文書、論文、科幻類小說，還有一些較為輕鬆的漫畫。

她沒有想到雖然巨浚書外表看起來高大成熟，但內心就像一個大男孩——愛玩鋼彈模型、有一堆遊戲電玩軟體，有幾次他玩完的PS2就這麼丟在地上，她順手將散亂的物品收好，放在電視櫃下。

進出巨浚書的房子快一個星期，如同他所說的，他們幾乎沒有碰過面，只有大前天，他剛從醫院值班回來，兩人在電梯口碰著了，但她趕著要上班，僅是簡短的寒暄了幾句。

她順手將放在茶几的水杯收到廚房，在水槽前洗乾淨，杯子才剛洗到一半，她的手機就響了起來——

鈴！

她關掉水龍頭，快步拿起放在桌面的手機，接聽。

「媽，我只是最近搬家比較忙……好……有空我會回家吃飯……」可柔持著手

機聽母親嘮叨了好一會兒才收線。

反正兩人的對話不外乎詢問她的交友狀況，感情生活有沒有進展？隔壁老王介紹了一個忠厚又老實的男人，要不要跟對方認識看看？

「煩死了！」她蹙起眉毛，嘟囔著。

每次接獲母親催婚的電話，可柔的心情就會變得格外煩躁，她不喜歡母親過度關心她的感情生活，無形中令她倍感壓力。

走入浴室後，她脫下穿了一天的套裝，旋開水龍頭，站在蓮蓬頭下，溫熱的水流傾瀉而下，沖刷過雪白的身體。

她掬起水，潑在臉上，藉此沖去心底的鬱悶。

她把身體沖濕後，才發現忘記把裝著盥洗用品的提籃拿進來，沒辦法只好先借用巨浚書的沐浴乳和洗髮精了。

她擠了點沐浴乳在手上搓揉出泡沫，塗在身上，洗完澡後，猛然想起浴袍也放在提籃裡，沒拿進來。

她關掉水龍頭，方才脫下的套裝已經被水打濕了，根本無法再穿回去，為了不想光溜溜地走到客廳，只好抽起架上乾淨的浴巾，圍裹住赤裸的身體。

當她拉開浴室的門，走往客廳時，卻在玄關處撞到正往廚房去的巨浚書。

「啊～～」她驚呼一聲，纖裸的足底踩在光滑的磁磚上，踉蹌地往後一仰。

「小心！」巨浚書見狀，長手一伸，趕緊將她帶進懷裡——

她柔軟的身軀僅隔著一條浴巾貼抵在他胸膛前，兩人近到沒有一絲距離。

他剛從醫院值班回來，拖著疲憊的步伐進屋，沒想到一進門就撞見如此「香豔刺激」的畫面，也太「振奮人心」了吧！

她怔忡的小臉迎向他的俊臉，兩人眸光相鎖，身體親密地貼觸在一起——

他的目光忍不住沿著她光裸的肩膀往下移，感覺到她柔軟的渾圓熨貼著自己，身上的沐浴乳香也一絲絲地沁入鼻端。

她的肌膚上還綴著水珠，浴巾下似乎什麼都沒有穿，如此曖昧的接觸，令他胸口一熱，身體跟著緊繃了起來。

「你……快放開我……」她愣怔了幾秒鐘，感覺腰後被一股強硬的力量箝制住，羞窘地在他懷裡扭動著。

他確定她站穩後，才緩緩鬆開手，目光瞬也不瞬地盯住她美麗的小臉，她水亮的眼睛盈滿惱意，兩頰染上一抹明媚的緋紅。

經過方才的掙扎，胸前的浴巾差點滑落，露出泰半白皙的胸脯，她連忙用手牢牢抓緊浴巾。

「色狼，你眼睛在看哪裡啊？」她嬌吒道，又羞又氣地瞪他，恨不得挖個地洞鑽進去。

「小姐，是妳自己圍條浴巾就走出來，怎麼能說我是色狼呢？」巨淩書對於她的指控頗有意見。

「我……」她的臉頰熱辣辣的，一向伶俐的口齒彷彿吃了顆螺絲，連話也說得吞吞吐吐。「我……我是剛好忘記把浴袍拿進浴室了嘛，轉過身去，要是敢偷看我就——」

「就要告我嗎？」他高大的身軀倚在冰箱前，挑挑眉，嘴角帶著一抹揶揄的笑容。

可柔狠狠地瞪他一眼，但偏偏少了拘謹的套裝，全身只圍條浴巾的她非但沒有威脅人的強悍氣勢，眼波流轉間反而多了幾分柔媚。

「知道就好！」她理不直，氣很壯地警告他。

巨浚書懶洋洋地轉身，背對她，打開冰箱，挑選飲料。

他薄而好看的嘴角揚起一抹笑意，看她失去平日冷靜強悍的模樣就覺得好笑。特別是她彆扭、臉紅的表情，真的好可愛，會讓他忍不住想逗她、惹她。

可柔走到沙發，取出浴袍，越過他的身邊，輕瞪他一眼，還不忘威嚇兩句，深怕他透過門板上的百葉通風孔偷瞄她。「不准偷看，聽到沒有！」

她快速閃進浴室，關上門，扯下身上的浴巾，穿起浴袍，攏緊袍帶，在腰間打了個結。

「拜託，人類的身體我在手術檯上看多了，早就沒啥新鮮感，哪有可能偷看

啊！」他嚷道。

他嘴上雖然說對她沒興趣，但腦子想的全都是她出浴後性感誘人的模樣，線條優美的頸項、光滑雪白的香肩、纖巧的腳趾，教他心旌搖曳，一股燥熱的氣息湧上腹間。

他取出一瓶冰啤酒，拉開鋁罐，仰頭喝了幾口，想藉此冷卻過於亢奮的身體。

「你可以把頭轉過來了。」她攏緊身上的浴袍，佯裝一副若無其事的口吻說：「借你的浴巾用一下，洗好曬乾我會歸回原位。」

巨浚書喝著啤酒，把手裡另一瓶可樂遞給她。

「謝謝。」她接過可樂，望著他仰頭暢飲啤酒，頸間的喉結微微滾動著，身上白色的襯衫將胸前的肌肉繃得硬挺，襯出結實完美的肩線，令她的身體起了一股熾熱的騷動。

不曉得是不是剛洗完熱水澡，還是讓他撞見自己出浴的模樣太過狼狽，抑或是自己單身太久，不習慣跟男人獨處，她的心跳竟然不知不覺加快，臉頰發熱。

「我屋子裡的東西隨便妳使用，不用跟我客氣。」他大方地說。

「你不是說你都值夜班嗎？為什麼今天這麼早就回來了？」她捧著可樂，裝作若無其事。

「醫院的同事銷假上班，從今天起我不用再值那麼多夜班。」他解釋道。

「那……」她微微蹙起眉心，他不用再值夜班，不就代表兩人這樣碰面的情況會變多嗎？愈想愈覺得尷尬。

「要不然以後我要回家之前，先打電話通知妳好了。」他看穿她的心思，體貼地道。

她抬睫看著他，沒想到他一個大男人心思會這麼細膩體貼。

「把妳的手機號碼給我……」他深邃的黑眸閃過一抹狡黠的光芒，掏出手機，在她說出電話號碼時，迅速地輸入通訊錄裡，並且撥過去。

她放在茶几上的手機響了兩聲又斷訊，螢幕上留下一組號碼。

「記得這個號碼。」一抹笑意飛掠過他的俊臉，他沒想到這麼容易就拿到她的

手機號碼，呵呵。

「喔。」她輕哼一聲，將手機放入口袋裡，拎起提籃，踅回浴室，把換下來的浴巾收進籃子裡。

「妳可以把沐浴用品留在我家，這樣就不用每天拿來拿去。」他倚在門框，就著浴室上方暈黃的燈光凝視她清雅的臉龐，不禁比較起平時穿上套裝的她與現在有什麼不同。

她的外表看起來聰穎成熟又獨立，但此刻身上僅穿著一件米色浴袍，腳上少了高跟鞋，看起來變小隻了，眼神純真，表情倔倔的，尤其是臉頰上的那抹紅暈，紅得像顆蘋果，讓人忍不住想咬一口。

他清楚自己被她吸引，儘管兩人第一次見面時不算愉快，但他仍然對她有感覺，她跟那些圍繞在他身邊開朗活潑的七年級女生不同，多了一分強勢驕傲的美麗，更令他動心。

「不用了。」她搖搖頭，婉拒他的提議。

巨浚書只是她的鄰居，又不是她的男人，總覺得把自己的私人物品留在他家太奇怪了。

男人?!

她的心臟驀地漏跳了一拍，她怎麼會有這種念頭，他只是好心借她浴室用一下，是在胡思亂想什麼啦！

「怎麼了？」他瞅看著她呆愣的神情。

她抬頭迎向他清澈的目光，忽然覺得有點心虛，呼吸亂得一塌糊塗，臉更紅了。

「沒事。」

她側過身，捧著提籃，越過他身邊，往大門走去。「謝謝你借我浴室，我先回家了，再見。」

「喂——」巨浚書正要出聲叫住她，她快一步拉開鐵門，把他的聲音阻隔在門後。

回到家後，她把換下來的浴巾和衣服丟進洗衣籃內，走到化妝檯前，倒了點乳液在手心上，卻在鏡中見到一張緋紅的臉蛋。

「老天……」她捧著雙頰，懊惱地驚呼了聲。

她不懂自己在臉紅什麼，是因為狼狽出糗，還是因為她對巨浚書荒謬的遐想……

二十三歲的小女生臉紅大家會覺得純情可愛，但她三十歲了還在臉紅，未免太過矯情了。

她搖搖頭，甩開腦海那些不切實際的念頭，努力說服自己巨浚書只是一個鄰居，一個小她三歲的弟弟——

或許他會對她好，也只是把她當作姊姊而已……

第三章

又是一個疲累的星期五夜晚，可柔回到家，剛脫下高跟鞋，包包裡的手機立即響了兩聲。

她從包包裡掏出手機，螢幕上顯示著一排字——

驕傲的律師小姐：

晚餐吃了嗎？我再過二十分鐘下班，要不要幫妳帶點什麼？

看到巨浚書傳來的簡訊，她的嘴角微微勾起，很認真地尋找鍵盤，也回傳了一

段文字過去——

喂，我明明就是正義感十足，哪有很驕傲？

晚餐就隨便你買嘍，反正我又不挑食。

她稍嫌笨拙地把簡訊傳出去，已經不記得自己多久沒傳簡訊了，現代人生活繁忙緊湊，哪有時間在那邊一個字一個字慢慢打？但自從把手機號碼給巨浚書後，她常收到他捎來的訊息——

有時候是一些有趣的冷笑話、有時是抱怨病人不太配合，老愛找他麻煩，配上可愛的表情符號，顯得逗趣十足！再不然就是報告他在急診室裡遇到的棘手問題，她手邊如果沒有案子要忙，也會傳些話安慰他。

一個多星期下來，透過無數封簡訊，兩人的距離好像更近了，他下班後會順道替她帶一份晚餐回來，偶爾還會找藉口賴在她家看電視。

她單身太久了，除了公事往來的男同事，幾乎沒有認識什麼異性朋友，所以當巨浚書進入她的生活圈時，她才會對他有那麼一丁點遐想，她把這一切歸咎於寂寞產生的錯覺——

其實他們只是朋友而已。

她放下手機，拿起裝著沐浴用品的提籃，走到巨浚書家的浴室梳洗完後，回到房間換上簡單的棉衫和短褲，才剛吹完頭髮，客廳的門鈴就響起。

她放下吹風機，走到玄關處，拉開門，欠身讓巨浚書進門。

「我買了義大利麵。」巨浚書把手中的提袋遞給她，自己則彎下腰，脫去皮鞋。

「謝啦！」她接過提袋，走到廚房，將餐盒裡的義大利麵裝盛在盤子裡，端到客廳的茶几上。

他站起身，走到廚房的餐桌前，將盛好的濃湯和麵包也端到茶几上，兩人互動自然得宛若一對有默契的情侶。

「妳這星期六有沒有空？」他盤腿坐在地板上，撕了一塊麵包塞入口中。

「做什麼？」她抬眸瞅著他。

「陪我去逛家具店還有3C用品店。」巨浚書說。

她用叉子捲起一團麵條，腦海忍不住浮現兩人推著購物車一同逛街的畫面，他們只不過是朋友兼鄰居，一同在那邊選家具……怎麼想都太曖昧了，那根本是同居小情侶或新婚夫妻才會做的事。

「我星期六沒空。」她遲疑了一會兒，還是決定拒絕。

「妳要幹麼？」

「我……要去健身房練瑜伽。」她頓了一下，才想出這個藉口。

「少去跳一次瑜伽又不會怎麼樣。」難得他這週末不用值班，一定要想辦法把她約到手。「還是妳忘了要賠償我淹水損失的事？」

「我哪有忘啊，上星期不是叫你把清單列出來嗎？」她瞋了他一眼，理直氣壯地說。

「那明天妳就陪我去選購地毯還有買Wii……」才怪咧，他早就想好約會行程了，先逛逛百貨公司，再選間有情調的餐廳，培養感情。

「但——」可柔癟癟嘴，很想回絕，她對逛3C產品最沒興趣了。

「買完東西後，再順便請我吃一頓大餐，當作是補償我上次災後清掃的辛勞。」他打斷她的話，霸道地不給她任何拒絕的機會。

「好啦！」她翻攪著盤子裡的麵，忍不住在心底怨懟自己想太多了，巨浚書找她逛街只是純粹為了淹水賠償的事，她是在胡思亂想什麼？

「謝謝妳喔，律師姊姊，妳人真好。」他露出一個善良老百姓的無辜笑容，心底因為計謀得逞而竊喜。

這個週末，他一定會好好假「購物」之名，行「約會」之實。

他愈來愈覺得「弟弟」這身分太好用了，不只輕易地卸下她的心防，還一步一步侵入她的生活領域。

「我先說好，下午一點以後我才有空。」她瞋他一眼，對他近乎無賴的行為完

全沒轍。

「是。」他心情大好地捲起一團義大利麵送進嘴裡，不到十五分鐘，就已經把兩塊麵包、一盤麵和一碗濃湯給吃光光。

她很喜歡看他吃飯的模樣，大口大口咀嚼著，卻又不是那種很粗魯的狼吞虎嚥，好像什麼東西到他嘴裡都變得很好吃，讓人忍不住想多嚐一口。

以往，她都是下班後順便拎個便當回家啃，偶爾吃膩了外食，心血來潮才會自己動手下廚，吃飯這件事，對她來說只是為了填飽肚子。

但自從巨浚書闖入她的生活後，一起吃晚餐變成兩人間的默契，有種分享美食、互相陪伴的感覺。

用完餐後，可柔將餐盤拿到水槽裡沖洗乾淨走回客廳，只見他很自然地窩在雙人座的沙發上，脖子上的領帶已經抽掉，拿起遙控器轉來轉去，儼然把這裡當成自己家。

「幫我倒一杯白開水，謝謝。」巨浚書說。

「巨浚書，你要看球賽不會回家看嗎？為什麼老愛賴在我家沙發……」她替他倒了杯白開水，嬌聲抗議。

「拯救北極熊啊！」他笑得一臉燦爛。

「什麼？」她一臉困惑。

「因為地球暖化造成冰山融解，使得許多北極熊溺斃，所以我們要開始節能減碳，多愛地球一點，如果我待在妳家，就不必開兩台電視和空調嘍，既可以節省能源，又能敦親睦鄰、培養友誼。」他為自己無賴的行徑，找了個光明正大的理由。

「最好是這樣就能拯救北極熊啦！」她嗤了聲，拍拍他的肩膀示意要他去坐旁邊的單人沙發。

「這張沙發這麼大，分我坐一下又不會怎樣。」他賴皮地將雙腿盤坐在沙發上，硬是不起來，一副「賴」她到底的模樣。

「這個位子是我的。」她柔瞪他一眼，很不給面子的嘀咕兩句，傾身欲拿起桌上的遙控器時，巨浚書主動伸手幫她，兩人靠得太近，額頭不小心碰個正著。

「噢～～好痛～～」可柔捣著前額，小臉皺成一團，吃痛地抱怨道：「你是練鐵頭功啊，頭硬得像顆石頭……」

「我看看……」巨淩書看她一副快哭出來的樣子，趕緊伸手輕揉她的額頭。

他溫暖有力的掌心彷彿有魔力般，將一股熱流注入她體內，感覺沒那麼疼了。

兩人面對面靠得非常近，近到她可以清楚看見他下顎有淡淡的鬍髭，鼻端也嗅到好聞的男人味，令她的呼吸不自覺亂了節奏。

她揚眸迎向他的俊臉，兩人的視線膠著，氣氛顯得有些曖昧，她慌亂地別開眼，揮開他的手。

「好了，不要揉了，已經不會痛了。」她坐直身體，裝作一副若無其事，但緋紅的耳朵卻洩漏了她的心慌意亂。

「確定？不用我再幫妳多揉兩下？」他的表情顯得有些惋惜。

「不用了。」

巨淩書看穿她的尷尬，眼底閃爍笑意，故意鬧著她說：「律師姊姊，妳覺得我

長得帥不帥？」

「一點都不帥。」她輕睨他一眼，故意跟他唱反調。

「我的帥氣是全醫院公認的，妳居然認為我不帥，該不會是剛才撞到腦震盪了？我看妳要去醫院做做電腦斷層掃描才行。」他打趣道。

「巨浚書，這個笑話很難笑。」她故作嚴肅，但嘴角卻不爭氣地上揚。

他三兩句話便輕易化解方才尷尬的氣氛，兩人又若無其事的一起觀看電視節目，偶爾有一句沒一句的閒聊著，直到門外的電鈴響起。

叮咚——

「妳有客人？」巨浚書說。

「這麼晚會是誰……」她望了牆上的掛鐘一眼，快九點了，會是誰呢？

她起身走到玄關，貼著門扉，透過貓眼往外看，瞧見譚媽媽拎著一個手提袋站在門外。

「是我媽！」她驚呼一聲，小跑步踅回沙發，拉起巨浚書的手臂，急嚷道：

「快躲起來。」

依照老媽打破砂鍋問到底的個性，要是讓她知道巨浚書的存在，肯定會來個「三堂會審」，連人家祖宗十八代都問得一清二楚，搞不好還會逼問他什麼時候要娶她回家！

而且，老媽若發現自己跟巨浚書只是鄰居不是戀人，肯定會把她的終身大事寄託在巨浚書身上，央求他介紹醫院裡單身的男性和她相親，到時候就真的丟臉丟到太平洋去了。

「躲起來？」巨浚書愣怔了下，追問道：「我有這麼見不得人，必須要躲起來嗎？」

叮咚——

門外的電鈴響聲，一聲一聲地撕扯著她的耳膜。

「我沒有時間跟你解釋這麼多，總之，你先躲起來就對了，不管發生什麼事，都不能發出聲音。」她抓起他的領帶，半拖半拉地將他帶到房裡。

「我又沒有做錯什麼事？」巨浚書完全搞不清楚狀況。

「算了，你還是躲到衣櫃裡比較保險。」免得老媽突擊她的房間，當場被抓包。

她打開衣櫥的門，一把將他塞進去，掩上門前還不忘叮嚀幾句。「乖乖待著，不准出聲聽到沒有？」

「可是……」他高大的身軀委屈地蜷縮在衣櫥內，表情顯得哀怨又無辜。

砰！

她完全不給他抗議的機會，重重地關上門。

✿ ✿ ✿

叮咚——

鐵門外，譚媽媽拎著保溫壺，沒啥耐心的又按了好幾下門鈴，遲遲不見可柔來開門，正要拿起手機打電話給女兒時，門扉恰巧被拉開。

「怎麼這麼久才來開門？」譚媽媽叨唸道。

「我剛在洗手間嘛！」可柔帶著過分燦爛的笑容，欠身讓她進屋。「這麼晚了妳怎麼會來？」

「還不是妳爸下午燉了一鍋雞湯，要我帶來給妳補補身體。」譚媽媽將手裡的保溫壺遞給可柔。

她越過母親的肩頭，往門外瞧了瞧，問道：「爸呢？沒跟妳一起來？」

「今天電視新聞報導汽油要漲價，所以他開車去加油，要我自己上來，等他加完油我再下去找他。」譚媽媽解釋道，彎腰脫下休閒鞋，眼尖地在鞋櫃旁發現一雙男人的皮鞋。

「喔。」可柔點點頭，捧著保溫壺往廚房走去，心想父親要是跟著上樓就好了，起碼老媽不會把注意力都放在她身上。

「譚可柔，妳家裡怎麼有男人的皮鞋？」譚媽媽拎起一雙黑皮鞋，表情興奮到猶如發現新大陸。

「啊？」可柔渾身一顫，心跳漏了數拍。

該死的，她居然忘記把巨浚書的鞋子藏進櫃子裡！

「那個啊……我擔心被壞人知道我是一個人住，所以就跟同事要了一雙不要的皮鞋，準備擺放在門口。」可柔機伶地編了個藉口。

「害我白高興一場，還以為妳終於有人追了。」譚媽媽失望地將鞋子擺在鞋櫃上，跟著可柔走進客廳，一張嘴沒停過。

可柔悄悄吁了口氣，將雞湯捧到餐桌放好。

安全過關！

她用眼角餘光瞄向緊閉的臥房，希望躲在衣櫥裡的巨浚書不要發出什麼聲音，露出馬腳來。

「可柔，妳月底排一天假出來。」譚媽媽一屁股坐在沙發上，從手提袋裡掏出一張照片。

「做什麼？」她倒了杯柳橙汁放在茶几上。

「相親啊！」譚媽媽一臉熱絡地將照片拿給可柔。

可柔沈下俏臉，就知道老媽說送雞湯只是藉口，要她去相親才是真正的目的。

「那個巷口賣牛肉麵的老王的表姨的外甥姜先生，聽說是什麼地政系畢業的，自己開了一家代書事務所，今年四十歲，沒有結過婚，事業有成，跟妳挺相配的喔，妳看看這是姜先生的照片……」譚媽媽雙眼發亮，說得口沫橫飛。

「四十歲？」可柔聞言，忍不住揚高音量。

「對啊！」譚媽媽看到她錯愕的表情，又嘀咕了兩句。「難不成妳以為自己還很年輕，能夠跟二十幾歲的男生談戀愛喔？」

「他比我大十歲欸！」可柔有點難以置信，她已經老到必須跟四十歲的中年男子相親了嗎？

「妳沒聽過一句話嗎？女人可以嫁老，不能嫁小，那些二十幾歲的年輕小伙子，事業沒基礎、經濟不穩定，要挑就要挑像姜先生這種，事業有成、長相老實，看起來就像是個愛家愛妻的好男人。」譚媽媽開始進行洗腦攻勢。

可柔瞥了照片的男人一眼，忠厚老實的臉上戴著一副金邊眼鏡，挑不出什麼大缺點，但也沒有吸引她的優點。

「他又不是我喜歡的型。」她把照片遞還給母親，不悅地抗議。

「妳又還沒跟他相處過，又知道自己不喜歡了？」譚媽媽嚴肅地板起臉，又訓斥了起來。

「從小妳不管是學業成績還是才藝競賽，樣樣都讓我放心，結果長大了，卻事事讓我擔心，當初叫妳別當什麼律師，跟陸一杰出國妳硬是不肯，現在叫妳去相個親，妳也不要，妳要知道我們整個家族只剩妳一個人還沒結婚……」

可柔沈下臉，對於母親三天兩頭叨叨絮絮要她去相親感到厭煩，好像她未婚的身分是奇恥大辱，非要把她嫁出去不可。

難道婚姻是人生中唯一的選項？

除了結婚，她沒有其他選擇了嗎？

「妳都三十歲了，現在還能挑人，再過幾年就只有被挑的分，到時候妳不只嫁

人困難，連生個小孩都很難，是高齡產婦——」譚媽媽話才說到一半，手提袋裡的手機恰好響起，她拿起來接聽，說道：「……我知道……我馬上下去……」

可柔聽老媽講電話的語氣，猜想應該是父親已經加完油了，準備前來載她回家。

「妳爸在樓下等我，我先走了。」譚媽媽拎著手提袋起身，臨走前，不忘唸道：「俗話說，朽木不可雕也，朽女難嫁也，與其讓妳一個人枯萎腐朽，還不如趕緊抓住青春的尾巴，聽我的話去相親。」

「媽，總有一天我會找個年紀、收入、學歷，各方面條件跟我差不多的男人結婚，但不是跟姜先生——」她皺眉抗議，對髮線逐年往後移，又大自己十歲的中年男子一點興趣都沒有。

「那是要等到哪一天？」譚媽媽打斷她的話，果決地說：「反正月底妳給我挪一天出來，人家姜先生是以結婚為前提出來相親，要是你們談得順利，也許年底就可以辦喜事了。」

譚媽媽完全不理會可柔的抗議，逕自打著如意算盤，撇除年紀稍大這點，無論職業或經濟狀況都令她十分滿意。

送母親去搭電梯後，可柔立即想到躲在衣櫥裡的巨淩書，她走到房間，打開衣櫥的門。

「巨淩書，你可以出來了。」可柔說。

「快悶死我了……」巨淩書忍不住抱怨。

「喂，我跟我媽的對話，你都聽見了？」可柔揚眸瞥了他一眼，才一開口就後悔了。

以老媽高分貝的嗓門，只要不是聾子都能聽見她們母女倆的對話，害她忽然感覺有點難堪。

她不想讓巨淩書知道這麼多私密的事，尤其是被迫去跟一個四十歲男人相親……唉，好沒面子。

「我想令堂可能受過專業酸人訓練。」巨淩書凝視著她陰鬱的小臉，故意用一

種輕鬆幽默的口吻，想化解彼此間僵凝的氣氛。

「大概是吧！」她的壞情緒全都顯現在美麗的小臉上，語氣淡漠地說：「很晚了，快回去休息吧！」

「明天又不用上班，我們可以把球賽看完啊！」巨浚書找理由想留下來，她看起來好像心情很差……

「但我很累了。」她無視於他關心的眼色，將他半推到玄關，下達逐客令。

「那……晚安。」巨浚書說。

掩上鐵門後，屋子顯得格外寂靜，她關掉大燈，只留了一盞水晶吊燈，暈黃的燈光映出一抹落寞的剪影。

她蜷縮在沙發上，一整晚的好心情全被母親的一席話給攪亂了。

她並不排斥婚姻，只是不喜歡透過用相親的方式挑選另一半，大家擇偶的標準，不管家庭背景或社經條件全都考慮得很周全，唯一忽略的就是愛情。

難道愛情不重要嗎？

四十歲的姜先生能給她愛情的熱度與甜蜜嗎？

恐怕是挑好伴侶的條件，就急著進禮堂，哪有時間陪她慢慢試探對彼此的感覺？

可是她對愛情懷有憧憬，渴望被愛情滋潤，想為喜歡的人付出，卻一直沒遇到令她心跳加速的男人——

驀地，她的腦海浮現巨浚書的臉，想起兩人並肩坐在沙發看球賽，一種矛盾又複雜的情緒糾結住她的心。

她不懂為何在這當口想起他，只因最近兩人來往頻繁，還是……

她搖搖頭，不敢細想，害怕挖掘到更多自己無法承受的真相。

是夜。

巨浚書躺在床上輾轉難眠，腦海盤旋著可柔的身影，他從來沒有見她這麼沮喪

過。

這和她以往驕傲自信的模樣差太多，讓他放不下心。

他想陪陪她，想聽她說說話，想安慰她一下。

但他更在乎她會不會去相親，要是那個什麼江先生喜歡上她怎麼辦？他不就莫名其妙又多了一個情敵嗎？

他索性翻身坐起，踱步到客廳，思忖著該拿什麼當藉口，去按她家門鈴，又不會顯得太過突兀？

幾分鐘後，他拿起櫃上的紅酒，前去按她家的門鈴。

沒多久，鐵門被拉開，可柔揚眸怔怔地凝看巨淩書拿著一瓶紅酒站在門外，怎麼她才想起他，他就來了……

她為這樣的巧合和默契悸動著。

「我能進去坐坐嗎？」他壓低嗓音，深邃的黑眸直直地看著她。

「怎麼了嗎？」她疑惑地說。

「今天是我和前女友分手三百天的日子，看在我們是鄰居的分上，好歹也安慰我一下嘛……」巨浚書靈機一動，隨口掰了理由。「我一個人喝酒是喝悶酒，但兩個人喝酒就是敦親睦鄰……」

他可憐兮兮的表情瞧得她心軟，遲疑了幾秒鐘後，還是欠身讓他進屋。

「巨浚書，想不到你這麼專情，都分手三百天了，還在想人家。」她忍不住調侃他。

她走到廚房，取出開瓶器和玻璃杯，放在茶几上。

「妳怎麼這麼沒有同情心，我可是被傷得很嚴重，心很痛啊！」巨浚書接過開瓶器，將紅酒倒在杯子。

「怎麼說？」她盤腿坐在沙發上。

「兵變啊！」他將紅酒遞給她，與她並肩坐在沙發上。「當時我在外島當兵，剩下兩個多月就退伍，結果她居然傳簡訊跟我說分手，害我傷心到差點想逃兵……」

巨浚書故意誇大情史的悲慘程度，藉此博取她的同情，事實上他和前女友分手早有徵兆，起初他還想盡力挽回，但隨著退伍後，進入醫院工作，忙碌的生活分散了他的注意力，也沖淡了他的情傷。

她輕輕搖晃杯子裡暗紅色的酒液，一邊聆聽，一邊啜飲紅酒。

「聽起來好像是個慘絕人寰、悲慟欲絕的故事。」她側眸，好奇地凝視他，難以想像他也有被兵變的經驗。

「當時我們約定好，等我退伍當上外科主治醫生就結婚，沒想到我才去離島當兵一年多就被兵變。」

她又輕啜了一口紅酒，似笑非笑地看著他。

「當初我要去當兵時，她信誓旦旦地說會等我回來，還說我是她身體的一部分，沒有我，她就活不下去……」巨浚書哀怨地垮下俊臉。

「我想她大概是說──你是她身體的闌尾或盲腸之類的，可有可無。」她不改律師本色，揶揄道。

「我被兵變拋棄已經夠可憐了，妳還落井下石，太沒人性了，嗚～～」巨浚書橫瞪她一眼，控訴她的冷情。

「不哭啦，姊姊惜惜……」酒精融化了她的拘謹，讓兩人的互動更加親暱。

他乘機將頭倚在可柔的肩膀上，儼然一副小男人的姿態，向她撒嬌尋求安慰，俊帥的臉上掛著無辜的表情，但上揚的嘴角卻洩漏了腹黑的心思。

「乖喔……姊姊惜惜……」她拍拍他的臉頰，微微側過頭，凝看他無辜又無奈的表情，嘴角浮現一抹笑意。

她沒有想過一個二十七歲的男人，撒嬌起來會像七歲男孩般可愛。

兩人坐在沙發上，一邊喝紅酒、一邊閒聊，大部分都是聽他在閒扯淡，從離島兵變到手術室發生的笑話，他時而莞爾、時而賣起可憐相，逗得她笑聲連連，一掃方才被母親催婚的鬱悶情緒。

幾杯紅酒下來，她的坐姿不若先前拘謹，懶洋洋地盤起腿，格格笑個不停。

「喂，妳真的會去跟那個什麼江先生相親喔？」巨浚書逮到機會，趕緊將話題

繞回來。

「關你什麼事啊？」她斂起笑容，一臉防備地瞅著他。

「當然關我的事。」他理直氣壯地說：「如果妳真的去相親了，還不幸跟那個什麼江先生看對眼，脫離『去死去死團』，一直朝我放閃光彈怎麼辦？」

「那我會送一副墨鏡給你。」她再度被他的話逗笑，兩手捧起他的臉，將他的眼皮微微往下拉。

「真是沒有同情心的女人。」他抱怨道。

她白皙的臉頰因為酒精而染上一層淡淡的粉紅，可愛到令他心悸，霎時湧起一股想吻她的衝動。

「沒辦法，我三十歲了，如果再跟你混在去死去死團裡，會變成『剩女貞德』。」她自嘲道。

「大不了我追妳嘛！」

他故意用一種開玩笑的口吻說道，擔心太認真的告白反而會嚇到她，要是她拒

絕了，兩人間的距離就不是隔一堵牆，而是變成兩個世界。

「你小我三歲耶～～」她側眸柔瞪他一眼，不喜歡他像時下的七年級生一樣，把追求當作是戲謔的玩笑話。

「小三歲又怎麼樣？小三歲就不是男人喔！」他悶悶地道。

「我要唸幼稚園的時候，你還在天上排隊等投胎耶！」她故意糗他。

「拜託，這叫女士優先，我是展現紳士風度，先讓妳下來見見世面。」他幽默地回嘴。

「巨淩書小弟弟，委屈你嘍！」她故意揉亂他的短髮，眼底閃爍著光彩，輕笑道。

隨著夜色愈來愈深，瓶裡的紅酒愈喝愈少，兩人之間的距離也愈靠愈近，近到她整個人幾乎軟綿綿地輕倚在他肩上……

第四章

翌日。

清晨暖暖的陽光溜過窗簾的縫隙，映照在軟軟的被窩上，粉藍色的大床上躺著一男一女。

在第一道陽光射進房裡時，巨浚書就醒了，他側過身，看著躺臥在一旁的可柔，頑皮地用長指輕輕撫過她的鼻尖，撩開垂落在頰畔的髮絲。

巨浚書望著她的睡臉，發覺她不只睡姿可愛，連喝醉酒的模樣也很可愛，像個小女生，一直纏著他撒嬌，還用軟軟的聲音唱歌。

他深邃的眸底盈滿愛意，依戀的指尖輕撫著可柔的唇瓣，情不自禁地俯身吻了

她——

唇與唇親密地貼觸在一起，使他心底泛起一波甜蜜的漣漪。

他怕會驚醒熟睡中的她，所以不敢吻得太深，僅是輕輕一啄，便離開粉唇。

唉，自己什麼時候變得這麼俗辣了，就是不敢大膽地向她告白，害怕會弄僵兩人的關係。

所以只好苦苦壓抑對她的感覺，打著鄰居的旗幟，找各種名目接近她，想對她好、想寵溺她、想成為她的依靠。

他也不明白為什麼醫院裡有那麼多開朗活潑的女生向自己示好，但他偏偏喜歡上驕傲又倔強的她，還默默承受著暗戀的苦楚。

也許愛情本身就沒有什麼道理可言，抑或一切純粹都是荷爾蒙在作祟……總之，他愛上她了。

愈和她相處，心動的感覺愈是強烈。

他喜歡她的聰穎獨立；喜歡她看似驕傲自負，動不動就把告人掛在嘴邊，但相

處久了才曉得，這只是源自於對她專業的自信，私底下的她，默默到婦女基金會擔任義工；喜歡她不認輸、一副倔強的模樣，但卻有點小迷糊。

喜歡她明亮動人的眼睛，眼波流轉間魅惑了他的心、喜歡她微翹挺直的鼻梁、喜歡她微微噘起的唇，尤其是兩人鬥嘴時，會讓他有種想狠狠吻她的衝動……

他翻過身，佯裝若無其事地閉上眼睛，繼續享受和她躺在同一張床上的甜蜜感覺。

幾分鐘後，可柔動了下，將臉枕在他胸膛上，整個人猶如無尾熊般攀住他，還將腿橫跨在他身上。

她睡得迷迷糊糊的，隱約感覺寬敞的雙人床變得擁擠，怎麼翻身都覺得不自在，而且太陽穴隱隱傳來一陣悶悶的抽痛。

她睜開惺忪的睡眼，映入眼簾的是男人寬闊的胸膛，她懶懶地打了個哈欠，繼續跌入夢鄉。

男人的胸膛——

男人的胸膛?!

她頓了下，迷迷糊糊的腦子發揮了一點作用，她的床上怎麼可能躺著另一個男人?該不會是在作夢吧……

她緩緩睜開眼，對上一張布滿鬍渣的熟悉臉龐。

巨浚書！

他怎麼會躺在她床上？

可柔悚然一驚，整個人從床上彈跳而起，立即低頭檢視身上的服裝，幸好棉衫和短褲都在，兩人好像除了躺在同一張床上睡覺外，並沒有做出任何踰矩的事情來。

但，他們為什麼會躺在同一張床上啊？

她撫著微微脹痛的額頭，仔細回想昨晚到底發生了什麼事，印象中她只記得兩人喝光一瓶紅酒，接下來就……不曉得了。

她坐在床上，盯著巨浚書熟睡的臉龐，視線游移到他的唇上，心跳馬上漏了一

拍。

可柔伸手撫摸著自己的唇瓣，唔，她剛剛好像作了一個夢。

夢裡，他親吻著熟睡的她，一股甜美的悸動在心底蔓延開來，那如夢似真的感覺，讓她分不清是真實或是夢境。

她望著他熟睡的側臉，原本恍惚的表情轉為驚訝，她怎麼可以對一個小她三歲的「弟弟」有這麼多非分之想……

而且還跟他躺在同一張床上！就算兩人什麼事都沒有發生，但她整晚可能就像隻無尾熊般攀附在他身上，光想就羞窘不已。

「喂，巨浚書，你快給我起來——」她抬起腳，踢踢他的大腿。

「不要吵……」巨浚書故意發出睏倦的聲音，轉過身，將臉埋入蓬鬆的枕頭，賴皮地躺在她床上，捨不得起來。

可柔怔怔地看著他躺在自己床上，隱約感覺有股曖昧的情感在流動，那教她心慌。

「巨浚書，你快給我起來……」可柔硬是把他從床上拉起來，悍悍地質問道：「為什麼你會躺在我床上，你快給我說清楚。」

「昨晚妳喝醉了，一直纏著我，叫我陪妳睡覺，妳忘了嗎？」巨浚書故意懶懶地打了個哈欠。

她隱約記得他心情不好找她喝酒解悶，然後說了很多自己的事，包括當兵時被前女友拋棄，在醫院實習時被巨媽媽強迫回家檢視小姪子的「黃金」狀況，兩人一起喝光整瓶紅酒，接下來她就沒什麼印象了，只記得整晚都很high。

「總之，以後不准你在我家過夜。」她下達最後的結論。

「明明是妳留我在這裡睡覺的。」他無辜地說。

事實上是她醉得一塌糊塗，連走回自己的房間都有問題，所以他只好抱她上床，然後很狡猾地霸住床的二分之一，還乘機偷了一個吻。

「就算我留你在我家過夜，你也不能躺在我床上啊，應該要睡在沙發或者打地鋪什麼的……」她微蹙起眉，對於自己酒後失態的模樣感到很糗。

「大不了下次妳喝醉，要我『陪睡』時，我會很認分地打地鋪。」他故意用曖昧不明的言詞逗弄她。

「什麼陪不陪睡，你在胡扯什麼！」一抹困窘的紅暈爬上她的臉頰。

「陪睡的意思就是——蓋棉被、純睡覺，要不然妳是想到哪裡去了？」巨浚書直勾勾地盯著她笑，瞧她臉紅的模樣，並不是全然對他沒感覺。

也許他再無賴一點，再對她溫柔一些，她就會發覺他想當的不是她的鄰居，而是她的男人。

「我哪有想到哪裡去，都是你一個人在胡扯好嗎？」她反駁道，硬是將他推往玄關，拉開門。

「喂，我還沒有睡飽欸。」他抗議道。

「要睡覺，回自己家去睡啦！」她打斷他的話。

她轉身關上門，卻關不住悸動的心。

譚可柔踅回房間，將臉埋入枕頭裡，懊惱地發出一聲嘆息，不明白為什麼遇上

巨浚書，她總是像個小女生一樣，變得好容易臉紅。

她翻身，側躺在床上，看到枕頭上凹陷的痕跡，幾分鐘前，他還睡在她身邊，棉被上還留著他的餘溫，想到這裡她的心熾熱地怦跳著——

她隱約感覺到這個清晨好像跟過去完全不一樣，窗外的陽光特別燦爛，連空氣都多了一股甜膩的味道，而她的心情更是莫名的好……

✿ ✿ ✿

月底的一個星期三午后，天空飄起毛毛細雨，可柔和事務所其他律師正在開會。

會議結束後，助理拿了一張便條紙遞給她，說道：「譚律師，周亞淇女士打了好幾通電話，要妳馬上回電，她的狀況聽起來好像不是很好……」

「我知道了。」可柔接過紙條，將手裡的卷宗交給助理，回到坐位上立即回電給周亞淇。

這是她最近剛接的一樁離婚案件，周亞淇在婚前從事平面模特兒工作，在某次餐敘中認識了富商曹明航，兩人一見鍾情，閃電結婚。

婚後，兩人育有一子，但夫妻間感情不睦，曹明航長期以言語羞辱周亞淇，最近甚至在酒後發生口角衝突。

她回撥電話後，得知周亞淇被毆打受傷，現在人在醫院的急診室，她一聽，趕緊把剩餘的工作交代給助理，立即趕到醫院。

急診室內擠滿了病患，充斥著各種喧鬧的聲音，有小孩的啼哭聲、病患家屬講手機的高分貝音量、警察詢問青少年鬥毆事件的低斥聲，還有一群穿著白袍的醫生與護士，忙碌地穿梭在一張張病床間。

然後，她看到一個熟悉的身影——

可柔知道巨浚書在這家醫院工作，但沒有料到會在急診室遇見他，此刻，他正在替一個腳部受傷的小朋友處理傷口。

病床上小朋友痛得嚎啕大哭，站在旁邊的阿嬤心疼到說不出話來，巨浚書則很

有耐心地安撫小病患的情緒，替他清理傷口。

可柔站在角落怔怔地望著巨浚書忙碌的身影，這是她第一次見到他工作的情景，穿上白色醫生袍的他渾身散發出一種專業自信的氣質，認真專注的神態攫住了她的目光。

看他忙碌地穿梭在一張又一張的病床旁，攤開病歷精準地下達指令，對每個病患充滿耐心，處理傷口時俐落又專業，那耀眼充滿魅力的模樣令她心悸。

巨浚書處理完病患，轉過身，發現可柔正站在走道旁，他將手上的病歷交給護士，嘴角噙著燦爛的笑容，走向她。

「妳怎麼來了，來探我的班嗎？」巨浚書有點驚訝她會出現在醫院裡。

她愣怔了下，回過神說：「不是，是我有一個朋友在急診室，我來了解一下她的情況。」

「什麼名字？我幫妳查一下。」巨浚書主動說。

「周亞淇。」可柔說。

她本來想詢問周亞淇是在哪一張病床，但在趕來醫院的途中，發覺對方的手機可能沒電了，直接轉到語音信箱。

他帶她到櫃檯請服務人員幫忙查詢病患名單，深邃的雙眼執著地望著她，眼底閃爍著笑意，過去這一星期來，他幾乎都在開刀房和值班室度過，回到家都已經凌晨了，兩人幾乎沒碰到面，僅能用簡訊聯絡近況。

明明知道她就住在隔壁，但老是碰不著面，令他有那麼一點想念她。

「你這星期好像很忙？」可柔趁著櫃檯人員查詢名單的空檔，找話題和他閒聊。

「最近醫院人手不足，會比較忙一點，等到下個月初有新的住院醫生報到，情況會好一點。」他很自動地報告最近的工作狀況。

「喔。」她點點頭，將垂落在頰畔的髮絲撥到耳後。

「巨醫師，周亞淇剛移到702號病房。」櫃檯人員說。

「謝謝。」巨浚書說。

巨浚書領著可柔到電梯口，趁著等電梯的空檔和她閒聊了一會兒。

「晚上妳有沒有空？」巨浚書瞥了手腕上的錶一眼，帶點試探性的口吻問道。

「幹麼？」她好奇地說。

「我今晚要值班，六點到七點是休息時間，如果妳沒事，要不要一起吃個晚餐？」他很想陪她好好吃一頓飯，可惜只能勻出短短的一個小時。

「好啊！」她笑了笑，為他的邀約感到欣喜。

「那我們約在醫院大廳左側的『小王子複合式餐廳』，那家的咖哩豬排很好吃，紅茶拿鐵也很好喝……」此時電梯門恰好打開，巨浚書被迫結束話題。「急診室還有幾個病患要處理，我就不陪妳上樓了。」

「你去忙吧，等會兒見。」她走進電梯，跟著一群訪客和醫護人員上樓，看著巨浚書的身影消失在電梯門之外。

電梯抵達七樓後，她跟著一群醫護人員走了出來，直接來到702號病房，看見周亞淇一臉憔悴地躺在病床上，額頭還纏裹著繃帶。

「亞淇，妳還好嗎？」可柔走向病床，關心地道。

「譚律師……」周亞淇坐躺起來，臉上盡是歉意。「不好意思，妳這麼忙還把妳找過來……」

周亞淇剛到事務所進行離婚協議諮詢時，可柔和她長談過幾次，大致了解她的情況，婚後辭去工作當全職家庭主婦，娘家在南部，與姊妹淘幾乎沒啥聯絡，所以自己對她特別照顧。

「不用跟我這麼客氣。」她拉開椅子入座，就著明亮的日光燈查看周亞淇的傷勢，發現除了額頭上的繃帶外，右臉頰還腫了起來。

周亞淇的臉低低的，表情有些尷尬。

「醫生怎麼說？」

「額頭縫了幾針，有腦震盪的現象，要住院觀察幾天……」周亞淇頓了一會兒，才又開口道：「剛才護士已經幫我辦了住院手續，我也通知我妹妹了，她說下班會從高雄趕過來。」

「事情怎麼會變成這樣？」

「他喝了點酒，我們起了衝突，他推我一把，我不小心跌下樓梯，撞到牆角。」周亞淇無奈地敘述事發經過。

「嗯，我會請醫生開一份驗傷單，必要時還可以替妳向法院申請保護令，這幾天妳就待在醫院好好養病。」可柔取出記事本，寫下幾個重點。

「嗯。」周亞淇點點頭。

「那妳好好休息，我到樓下的福利社替妳買餐點和日用品。」

「謝謝。」

可柔主動替她把病床上的燈光調暗，輕巧地掩上房門，搭電梯到地下室的福利社替她買了牙刷、牙膏、毛巾等簡單的盥洗用具，然後又買了麵包和礦泉水，就怕她餓到。

安頓好周亞淇後，時間已經快六點了，她搭電梯下樓，穿過長廊、門診掛號處，最後來到大廳側邊的附屬簡餐店，店內播放著可愛的法國童謠歌曲，氣氛顯得

很活潑。

她挑了個靠窗的位子坐下，先替兩人點了咖哩豬排套餐，又點了一杯他推薦的紅茶拿鐵。

窗外天色暗了下來，正下著滂沱大雨，淅瀝瀝的雨水蜿蜒流過玻璃帷幕，窗外燈影蕩漾，夜色迷離。

她起身，走到化妝間洗手，順便檢視臉上的妝容，鏡中的自己眼底閃爍著笑意，一副戀愛中女人的表情。

在兩人互為鄰居這段時間，她早已習慣了他的陪伴，習慣他不用值班時，拎著一袋宵夜「騷擾」她；習慣兩人並肩坐在沙發上，互搶遙控器，很幼稚地跟對方作對。

她也被他傳來的一封封簡訊給制約了，習慣每天都要看到那些看似無聊卻又藏著對彼此關心的問候訊息。

他的出現敲醒了她心底那個寂寞的鐘。

以往寂寞就像她的第二層皮膚，幾乎感受不到它的存在。

她已經很習慣一個人的日子，一個人吃飯、一個人逛街、一個人看電影、一個人旅行，但自從巨浚書出現在她的生活後，她開始了解原來寂寞是有重量的，偶爾會想念兩人嬉鬧的笑聲、會突然發現屋子變得空曠，彷彿有幾百隻螞蟻爬過她的心坎，搔刺著她的心。

意識到自己對巨浚書的感情，令她又是害怕、又是期待；想抗拒，偏偏又被吸引——

原來，她早已經喜歡上巨浚書了。

她期待愛情的發生，但沒有想過會對一個比自己小的男人動情，那感覺太複雜了……

整理完儀容後，可柔走出洗手間，回到座位上，侍者恰巧把她點的紅茶拿鐵送上來，她品嚐著他愛喝的飲品，紅茶的醇香配上綿密的奶泡，甜美的滋味在她的舌尖散逸開來。

原來這就是他喜歡的味道啊……

幾分鐘後，巨浚書匆匆地從急診室來到餐廳，身上的醫生袍還來不及脫掉，俊偉的身影成為醒目的焦點，可柔朝他揮揮手，兩人隔著小方桌面對面而坐，侍者貼心地送上餐點。

「等很久了嗎？」巨浚書投以歉然的微笑。

「還好。」她清澈的目光怯澀澀地看著巨浚書，明媚的臉上出現一種近情情怯的迷惘表情。

「妳朋友的情況怎麼樣？妳晚上還要留在醫院照顧她嗎？」巨浚書一邊切著豬排，一邊找話題和她閒聊。

「我剛替她添購了一些日常用品，她說她家人晚上會趕過來看她。」可柔說。

「妳把她的床號寫給我，晚上我查房時，可以幫妳去看看她的狀況。」

「幹麼？你想追人家啊？她可是我的當事人，已經結婚了，不是你可以把的妹。」她故意用一種揶揄的口氣調侃他，心底卻酸酸的。

「拜託，我是看在她是妳朋友的分上愛屋及烏，要不然我手邊的病人就夠我忙到早上了。」他聲音悶悶的，擔心她誤會，趕緊澄清道：「再說，我才不會去追自己的病人。」

「跟你開玩笑的，幹麼那麼緊張。」她叉了一塊豬排送進嘴裡，內心卻為那句愛屋及烏而欣喜。

他是獨獨對她好，還是對每個女生都這麼好？

「妳浴室的裝修工程順利嗎？水管還會漏水嗎？」巨浚書關心道。

「已經裝修好了。」可柔這才想起來，她已經沒有留著他家鑰匙的理由了。

她放下叉子，從皮包裡取出一把鑰匙，攤放在桌面上。

「怎麼了？」巨浚書就著橙亮的燈光，凝視著她美得出奇的臉蛋，微微蹙起眉心。

「鑰匙還你，以後我不用再借用你家的浴室了。」她故意用一種很輕鬆的語氣，試圖掩飾內心的失落。

「幹麼還我，放在妳那裡不是比較方便嗎？」巨浚書硬是不肯接過鑰匙，隨口掰了個藉口。「要是妳煮菜突然少了醬油，還是忘了買鹽巴，可以直接開門去我家拿啊！」

「你又沒在開伙，家裡應該沒有那些東西吧，就算有，也不知道過期多久了。」她直率地說。

「呃……」巨浚書愣了下，沒見過像她這種愛情神經比樹幹還粗的女人，她是真不懂他的暗示，還是不想接受他呢？看來是前者居多。

「萬一我忘記帶鑰匙，可以直接向妳求救，不用再找鎖匠。」他像是孩子般耍賴，有些賭氣地挖了好幾口咖哩送進嘴裡。

「我只是你的鄰居，拿你家的鑰匙很奇怪。」她目光低低的，用湯匙翻攪著盤子裡的咖哩，迂迴地試探道：「更何況要是你交了女朋友，讓她知道我有你家的鑰匙，不是更奇怪嗎？」

這男人不懂把鑰匙交給女人的象徵意義嗎？

她已經喜歡上他了，在不確定他對她的感覺之前，她害怕太多曖昧的聯繫會讓自己對這段感情愈陷愈深。

「反正妳就先把鑰匙收著。」他深邃的眼眸異常執著，看著她欲言又止地噘起紅潤的嘴唇，那性感又可愛的模樣搔刺著他的心。

他很想狠狠地吻醒眼前這個遲鈍又沒愛情自覺的女人。

但又擔心突來的告白，會破壞眼前平和的現況。

她讓他想起父親在頂樓養的一株蘭花，父親老說養蘭是一件磨功夫的事，愈難伺候的花，愈教心魂牽夢縈。

追求像她這麼驕傲又聰穎的女人，豈不是和養蘭一樣，愈難追的女人，愈教人懸念，最後成為心裡的牽掛。

他只能像個養蘭的人，耐著性子，等待花期，等待那朵含苞的愛情花朵早日綻放。

曖昧的沈默降臨在兩人之間，他們各自吃著餐點，期間巨浚書的手機響了很多

次，一開始，他對著手機向實習醫生下達指示，說了一堆連可柔都聽不懂的醫學術語和名詞。

「你很忙吧？」可柔看了眼手錶，才六點半多而已。

「有幾床病人術後的狀況不是很好，我得去幫那群實習醫生，免得他們搞出大麻煩……」他一邊說，一邊快速地扒著飯。

他很想再多坐一會兒，但手機一直響起，被迫結束兩人的晚餐約會。

「你先去忙吧……」她體貼地說。

「算我欠妳一頓晚餐，等月初新的住院醫生報到，我排休請妳吃大餐。」巨浚書站起身，眸光溫柔地望住她，很捨不得把她一個人留在餐廳。

「嗯。」她抬睫，迎向他的臉，兩人眸光相觸，彷彿有一股電流在彼此間流竄，她的心跳頻率變得不一樣。

「外面在下雨，有帶傘嗎？」巨浚書凝視著她的唇，忍住想和她吻別的衝動。

「有。」她點點頭。

「開車小心一點。」他伸手摸摸她的頭，溫柔的舉止帶著無限寵溺。

「Bye～～」

可柔怔怔望著他偉岸的身影消失在門口，一顆心彷彿也隨他離去。

她低頭看著兩人吃到一半的咖哩豬排，忽然覺得索然無味，乾脆起身付完帳，離開餐廳。

可柔停在路口等待綠燈，淅瀝瀝的雨水沿著傘緣落下，她發覺自己不只被困在雨幕裡，也被困在愛情裡……

第五章

又過了一個忙碌的週末，時序來到五月初，醫院中庭裡的梔子花迎風搖曳，淡雅的花香散逸在空氣中。

下班前，巨浚書拿起電話打給可柔，想問她晚上要不要一起吃飯，但手機卻被轉到語音信箱，直到他離開醫院前都聯絡不上她。

這對可柔來說很不尋常，因為工作的關係，她幾乎二十四小時都開機，就算要上法院開庭，也會轉為無聲震動。

一股不祥的預感自心底升起，他找出她的名片，打了通電話到她辦公室，接聽的人是她的助理小葳。

「妳好，我是巨浚書，請問譚律師在嗎？」巨浚書持著話筒說道。

「巨醫生啊……譚律師下午請假，人不在辦公室……」電話那端的小葳認出巨浚書的聲音。

上星期，小葳和譚律師一起到醫院探視周亞淇，在走廊上巧遇巨浚書，看兩人說話互動的樣子擺明就是「交情匪淺」，但譚律師堅稱兩人只是鄰居？哼，她才不信呢～～

「請假？」巨浚書皺了下眉，納悶地追問：「她身體不舒服嗎？還有她的手機為什麼不通呢？」

「呃……是這樣的……下午周亞淇的先生曹明航來辦公室鬧了一會兒，他不滿譚律師替周亞淇向法院申請保護令，兩人起了口角衝突，曹明航把譚律師的手機砸壞，還打了譚律師……」小葳猶豫了會兒，還是決定說出事情的原委，畢竟巨醫生是譚醫生的鄰居，可以照應一下。

「妳說可柔被打了？」巨浚書錯愕地道。

「我剛才陪譚律師去附近的診所檢查過了，只有一點擦傷，不是很嚴重，也幫她請假了。」小葳說。

「那她現在人呢？」巨浚書焦急地追問著，恨不得馬上飛奔到她身邊，關心她的狀況。

「我送她回家休息了。」

「謝謝妳……」

巨浚書剛講完手機，還來不及撥電話到可柔家，桌上的分機便響起，他接聽起，話筒另一端護理站的人員要他趕緊到加護病房支援。

他被迫放下電話，匆匆奔下樓。

病房狀況危急，他得去搶救另一個人的生命。

此刻，他巴不得能多個分身，趕到最愛的女人身邊關心她。

✿ ✿ ✿

晚上九點多，床櫃上的一盞小夜燈，映照著可柔孤寂的側臉。

她躺臥在床上，翻了個身，頭一次，覺得這張雙人床太大、太寬敞了，兩個一套的枕頭，永遠只使用了一個。

她不禁回想起幾天前，巨淩書曾躺在她身邊，那種醒來有人說早安的感覺真好。

即使兩人大部分時間都在鬥嘴，還是令她覺得很溫暖。

不知道是不是身體不舒服的關係，她的心變得脆弱，抑或是對巨淩書的感情，早已超越自己的掌控——

她竟有那麼一點想念他的聲音，很想跟他說說話，很想要他的安慰。

她坐起身，準備打電話給巨淩書，但掙扎了一會兒，還是選擇放棄。

她怎麼能因為寂寞就軟弱地去依賴他呢？

要是他對她沒有相同的感覺，豈不是很尷尬？

鈴鈴！

一陣刺耳的電話聲中斷了可柔的思緒，她站起身走到客廳，打開燈，接聽起——

「喂……」可柔拿起話筒，另一端傳來巨浚書的聲音。「我沒有事……只有一點擦傷而已……你不用擔心……嗯，路上小心……」

幾分鐘後，她收線，心裡又是一陣悸動。

這段時間兩人很少碰面，但她已經很習慣聽到他深夜回到家，掩上鐵門的聲音後才睡得著。

她的心，被他制約了。

可柔蜷縮在沙發上，明知道自己對他有感覺，但驕傲好勝的個性卻讓她對愛情卻步……

不曉得過了多久，她躺在沙發上迷迷糊糊地睡著了，直到電鈴聲將她吵醒，可柔才站起身，透過門板上的貓眼往外瞧，覷見一抹熟悉的身影——

可柔才剛打開門，巨浚書立刻進屋，焦急地追問：「怎麼了？要不要緊？那傢

伙打了妳哪裡？」

巨浚書捧起她的臉，端視了好一會兒，看到她右側的臉頰留著一抹淡淡的紅腫痕跡，擔憂的心情稍微斂了幾分。

「只是右側臉頰挨了一巴掌，冰敷過後好很多了……」可柔對上他過分熾熱的眼眸，下意識地別開臉，閃躲他的關心。

她往後退了一步，彷彿這樣就能在兩人之間畫出一條明顯的界線，對他的感覺也會淡個幾分。

「為什麼受傷了不打電話告訴我？妳知不知道當妳手機撥不通的時候，我有多擔心？」巨浚書悶悶地說。

「我是三十歲的大女人，又不是三歲的小女生，有什麼好緊張的，你看，我不是把自己照顧得很好嗎？」她硬是擠出一抹笑容，自嘲道：「更何況我是律師欸，那個姓曹的敢揍我，我鐵定把他告到連條內褲都不剩，讓他後悔動手打了我——」

「只要是女生，不管三歲或三十歲都需要被保護……」她偽裝的強悍教巨浚書

十分心疼，他激動地摟住她。

她愣了愣，感覺他結實有力的雙臂緊緊地摟住自己，兩人心跳疊著心跳，一股暖流瞬間滑過她冷寂的心房。

她茫然了。

原來被擁抱的感覺這麼好，長期的單身生活，幾乎讓她忘了男人的胸膛有多麼溫暖……

她既心悸，又混亂。

他說中了她最不敢面對的事實——只要是女人就渴望被保護。

她表面上偽裝得再強悍，但私底下還是一個憧憬愛情的女人。

「巨浚書……」她突然不知道該如何回應他。

「妳這女人是真的不懂，還是超級無敵遲鈍？」巨浚書放開她，邃亮的眼眸定定地望著她。

他受夠了這樣「不明不白」繼續跟她曖昧下去，就算告白後被拒絕又怎樣，反

正他「賴」定她了。

他再也不要連陪伴她，都得迂迂迴迴找一堆藉口；再也不要連封思念她的簡訊，都得硬塞一堆無聊的冷笑話，掩飾自己的真心。

他想成為她的依靠，在她受傷時給她安慰、給她抱抱；他想讓她知道，不管發生任何事，他都會挺她到底。

「不懂什麼？」她困惑地看著他。

「我喜歡妳，我要當妳的男人。」他語氣霸道地宣告。

「你喜歡我？」她怔住，沒想到兩人居然有一模一樣的心思，望著他清澈坦白的眼眸，裡頭盈滿令人無法質疑的堅定。

原來，他也喜歡她……

那這段時間的曖昧心動，不是她一個人的錯覺。

呵呵……

是從什麼時候開始，兩人的鄰居情誼已經悄然變質，化成男女之間互相吸引的

熾熱情感呢？

「我要是不喜歡妳，幹麼拚命找藉口死賴在妳家？我要是不喜歡妳，為什麼要把我家的鑰匙給妳？我要是不喜歡妳，為什麼天天跟妳傳簡訊？我要是不喜歡妳，幹麼那麼關心妳？我要是不喜歡妳，為什麼聽到妳受傷會這麼緊張……」他愈講愈覺得窩囊。

開玩笑，他在醫院裡可是炙手可熱的「暢銷品」，多得是護士和女病患向他告白，甚至連一些退休伯伯、歐巴桑也搶著替他作媒，可她居然只把他當鄰居！他對她這麼好，天天噓寒問暖、照三餐傳簡訊問候她，現在要個「名分」應該不過分吧?!

她垂下臉，伸手玩弄他襯衫上的鈕釦，聽著他的告白，一顆心宛若浸在蜂蜜裡，甜滋滋的。

原來他對她的感情發生得這麼早，在他將鑰匙交給她時，彷彿就打開了通往愛情的那扇門，結束了她多年的單身生涯。

這些年，她被動等待著一個能讓她動心的男人，而這男人出現了。

「你喜歡我什麼呢？」她怯怯地問，很好奇自己有什麼優點能吸引他。

畢竟兩人初次相見時，她又嗆又辣的，別說是讓他心動了，沒令他討厭就不錯啦！

巨浚書嘴角揚起一抹幸福的弧度，所以她也喜歡他嘍？不然才不會做這種反應咧，呵呵——

「喜歡妳外表雖然看起來恰北北，但其實還滿可愛的；喜歡妳生氣時，又嗆又凶的樣子……」他圈住她纖細的腰，低首，親密地抵住她的額頭。

「喂，你是在告白，還是在數落我的缺點？」她柔瞪他一眼，軟軟地抗議，但心裡還是感覺好甜蜜。

「還喜歡妳瞪人時，眼睛瞠得又圓又大……」他扣住她的下顎，輕吻她的眼睫。「喜歡妳噘起的唇……」他低低地笑了，又親吻了她的唇。

她緩緩合上眼，感受他的吻。

兩人的雙唇輕貼在一起，他的舌尖輕探入她的唇內，輕輕柔柔地，帶有試探意味。

不同於兩人第一次在電梯裡發生的那個意外之吻，他的每一個動作都充滿無限柔情與引誘，由淺而深，熱情地汲取她的氣息。

他的唇，與她的唇，糾纏著。

他的氣息灌入她口中，讓她以最親密的方式，嚐到屬於他的味道，一種非常陽剛，還帶著淡淡麝香的味道。

他的大手順著她的背脊，緩緩滑向她的腰際，稍微使勁，兩人的身軀貼在一塊，她的柔軟抵上他的陽剛，隨著熾熱的擁吻，兩人的心跳加快，如蜜又如火地纏吻著。

直到，他空虛的胃部發出咕嚕咕嚕的抗議聲——

他被迫中止兩人的吻。

「呵……」她忍不住將額頭抵在他的肩膀上，低低地笑了。

俊臉脹起淡淡的紅，感覺糗斃了！

在喜歡的女人面前鬧出笑話，讓他面子有點掛不住。

「我可是聽到妳受傷，下班就馬上從醫院趕回來，連飯都沒有吃，妳居然一點同情心都沒有，還笑得這麼大聲。」他抗議地低嚷。

她斂住笑聲，揚眸，瞅看著他略帶孩子氣的表情。

「好可憐喔……」她踮起腳尖，揉揉他的頭，安撫道：「想吃什麼？冰箱裡還有水餃，還是想吃海鮮麵？」

「可以點餐？」他眨眨眼。

「只要冰箱裡有食材，都可以啊！」她認真地說。

「我想吃妳……」他低下頭，附在她耳畔曖昧地戲謔。

一抹羞怯的紅暈爬上她的臉頰，她輕搥他的肩膀，嬌嗔道：「你找死啊！」

他低低地笑了，笑聲在胸腔震動著。

「喂，你先去洗澡吧，我煮海鮮麵給你吃。」可柔說。

「謝謝。」他輕啄她的臉頰，深邃的眼裡充滿柔情，依戀不捨地回到自己的公寓盥洗一番。

趁他洗澡的這段時間，可柔走到開放式廚房，打開冰箱，取出蝦仁、蛤蜊、花枝、青菜等食材，拿到水龍頭下清洗過後，又取出鍋子，倒了點清水，放在瓦斯爐上。

以前的她花了太多時間在準備考試、衝刺事業，以為一個女人最大的成就就是有一份成功的事業，證明自己能與男人並駕齊驅。

她從不知道為自己喜歡的男人下廚是這麼開心的事，遇上巨浚書後，讓她再一次體會到愛情裡最簡單、平凡的小幸福。

爐上的水開了，她丟了一塊雞湯塊放進鍋裡，再將食材一一下鍋。

看著鍋裡的水沸騰著，她的心，也因為巨浚書篤定的告白而發燙悸動著。

當晚，巨浚書盥洗完畢後，回到可柔的公寓，兩人坐在小餐桌前，一起吃著她煮的海鮮麵。

這湯麵的味道不是他嚐過最美味的，但卻是他吃得最開心的一次，每一口都能嚐到她滿滿的愛心。

用完餐後，他硬是賴在她家不走，美其名是為了照顧她，但事實上是想膩在她身邊，享受兩人的甜蜜。

床邊的小方桌上，一盞小夜燈流洩出朦朧的燈光，兩人躺臥在床上，巨浚書伸出手讓她枕在手臂上，她的頭髮垂散在他胸前，身上的幽香也一絲絲地沁入鼻端，一種徐徐的、癢癢的意緒，從頸窩穿過胸口，騷動了他的心。

「你這樣抱著我，我反而睡不著……」她的背脊貼熨著他的胸膛，明顯感受到他男性肌肉的精實，以及他清清楚楚的亢奮。

「為什麼？」他低喃著，雖然身體疲累，但一點睡意都沒有，反而愈來愈興奮。

「我不習慣跟男人一起睡覺。」她坦白地說。

大床上突然多一個人，讓她怎麼翻身都覺得不對勁，而且他的體溫陣陣傳來，也將她溫熾了。

「幸好妳沒有這種『習慣』，不然我會很困擾。」他的大手親密地放置在她的纖腰上，曖昧地揶揄道：「不過我決定從今天起開始，要幫妳培養這個『壞習慣』。」

「你很無聊耶～～」她輕搥他的肩膀，以示懲罰，但心臟卻因為他曖昧的暗示，而漏跳了好幾拍。

「我是認真的……」巨浚書收緊放在她腰間的手臂，讓兩人的身體親密地貼觸在一起，他附在她的耳畔，雙唇曖昧地貼近她的耳廓，低語道：「柔，我愛妳，讓我當妳的男人好嗎？」

他親吻著她敏感的耳際，細碎的吻伴隨著熾熱的呼息，不只令她心跳加快，也跟著興奮了起來。

「我……太快了……」她睜眼，對上他的俊臉，猶豫著。

理智告訴她，這樣的愛情進度太快了，她該拒絕的；但她的心，卻好渴望碰觸他。

「什麼太快了？」他撐起手肘，瞅著她。

「今晚，你才剛跟我告白而已，我們就……好像太快了……」她被他瞧得心慌意亂。

「我可是對妳一見鍾情，要不是怕太早跟妳告白會被打槍，我恨不得認識第一天就當妳的男朋友……」他用一種委屈的撒嬌口吻說。

「聽起來，你好像暗戀我很久了，暗戀得好辛苦……」她柔柔笑道，望著他無辜可憐的小狗眼神，完全沒轍。

她仔細回想起這段時間發生的點點滴滴，再也沒有一個男人會像他這麼可愛，努力逗她開心；也沒有哪個男人，會在她最脆弱時，第一時間關心她。

兩人的愛情發生在凝眸瞬間，無數個嬉鬧式的晚餐約會，讓他們開始互相了解

彼此，建立了許多甜蜜的小默契。

現在回想起來，原來他為了要膩在她身邊，掰了那麼多理由，純情得好可愛。

他讓她感覺，自己很特別、很重要……愈是探究，愈是發現他比想像中更珍愛自己。

「那還不快點給我一點補償……」他眸底閃爍笑意，頑皮的口氣就像一個討糖吃的孩子。

她柔情似水的眼眸在他的俊臉上流轉，伸出手，勾住他的脖子，在他嘴唇印上一個吻。

他執起她的手，親吻她柔嫩的手心，低喃道：「過程中，如果妳不喜歡，隨時喊停，我保證不會強迫妳……」

「嗯。」她迎上他布滿柔情與激情的眼眸，怯怯地道。

他俯下身，吻住她微啟的紅唇，不同於方才試探輕柔的吻，他給了她一個又濕又熱的深吻，激切地與她的唇齒糾纏著，吞噬芳甜的呼息。

他反覆在她唇上廝磨，像在品嚐一顆誘人的蜜糖般，火熱的舌滑入她的唇齒間，盡情地與她嬉戲，貪婪地汲取她的味道。

他離開她的唇，手指輕輕撥開她額前的髮絲，深邃的眼眸凝睇著清雅秀氣的五官，然後俯下身，輕吻她細緻的眉毛、輕閉的眼睫、挺直的鼻梁、紅潤的嘴唇——無數個細碎的輕吻猶如雨滴般，點點滴滴落在她臉上，滋潤了她寂寞的心窩。

他在她耳邊說了無數句甜蜜情話，然後咬嚙著她小巧可愛的耳垂，低聲說：

「這一下是懲罰妳居然讓我暗戀那麼久……」

「是你自己不快點告白的，還怪我喔？」她勾住他的脖子，頑皮地眨眨眼。

「那妳也喜歡我，幹麼不向我告白？」他孩子氣地鬧著她。

「我是女生耶！」她柔聲抗議。

「法律又沒有規定，女生不能先追男生……」他低頭又給她一個熾熱且霸道的吻，盡情享受其中的美好。

他一路啄吻、吮嚙著她線條優美的頸項，探索著她每一處敏感地帶，隨著他

逐漸熱情又大膽的舉止，彷彿有股電流透過他的唇齒在她的身上流竄，令她全身發熱，宛若有一群蝴蝶在腹間飛舞。

他俐落地解開她胸前的鈕釦，褪去內衣，慢條斯理地含吮住她胸前那抹殷紅的蓓蕾，舌尖頑皮地廝磨、舔咬著，隨著他溫柔又狂野的舉措，在她身體掀起一股全然陌生的快感。

她輕輕合上眼睫，感受他一波又一波的挑逗，感覺他的吻沿著她挺立的蓓蕾滑向她敏感的側腰，凹陷小巧的肚臍上，最後來到平坦的小腹間……

他起身，扯掉身上多餘的衣褲，暈黃的燈光映照在他結實平滑的胸膛上，勾勒出充滿陽剛的肌肉線條。

濃烈激情的氣息飄散在空氣裡，每個呼吸都摻雜了許多曖昧的訊息，室內溫度彷彿一下攀升了好幾度，讓她暈眩發熱，水亮的瞳眸氤氳迷濛，情慾上的刺激，讓她白皙的臉頰暈染上一層明媚的緋紅，誘惑著他。

他俯身，堅實黝黑的身軀偎向她柔軟雪白的嬌軀，兩人親密地熨貼著，他愛憐

地輕吻她的耳垂。

「我愛妳……以後妳只屬於我一個人……」他霸道又溫柔地宣示主權。

她抬睫，定定凝視他深邃墨黑的眼眸，為他堅定而甜蜜的情話悸動著，有多久，她不再屬於另一個男人了？

他的出現，教她瞧見了自己的脆弱與寂寞，也煨暖了她冷寂的芳心，讓她有想依靠另一個男人的感覺。

她喜歡他帶點孩子氣的占有慾，有著小男生的可愛純情，卻又同時具備大男人的穩重，讓她可以全然地信任他。

她嘴角勾起一抹甜蜜的笑容，雙手攀住他的頸項，撫摸著他的黑髮，放軟全身，縱容自己去感受他的熱情。

得到她的溫柔鼓舞，他含吻住她的唇，在情慾激湧到最高點時，緊繃熾熱的陽剛抵入她濕暖的柔徑。

隨著他每一次的律動，她體內掀起一波波熾熱又甜蜜的漩渦，如蜜又如火的感

覺席捲了她的感官，令她完全陷入情慾的迷霧裡。

激情過後，她將臉枕在他的肩窩，感覺到他的手指爬過她略微汗濕的髮鬢，她舒懶地閉上眼，沈溺在他的擁抱與細吻裡，聽著他沈穩有力的心跳聲。

他看著她細緻的眉毛、又長又密的眼睫、挺直的鼻梁、熟睡的臉龐，一股愛憐感湧上心間。

他享受著她親密的依靠與信任，手指撫摸著她光裸的肩膀，貼心地為兩人拉好被毯，一起沈入夢鄉。

✿ ✿ ✿

陽光穿過玻璃窗帷，溜過窗簾的縫隙，映照在房間的地毯上。

可柔懶懶地翻過身，伸手摸到旁邊的枕頭空蕩蕩的，她睜開眼，看著大床上只剩下自己一個人，眼前凌亂的被毯提醒著她昨晚的激情。

她環視室內一眼，看著化妝檯上貼放了一張小紙條，她抽起被毯裹住光裸的身

體，緩緩走過去，拿起便箋，細細地讀著——

可柔：

妳睡覺的樣子超可愛的，害我好捨不得從被窩裡爬起來。

多想在我們相戀的第一天，向妳說聲早安，陪妳一起吃早餐，可惜醫院有急事，只能先走一步。

會想妳一整天的浚書

她看見紙條下方還頑皮地畫了一個可愛的笑臉，嘴角忍不住勾起。

她將小紙條收進抽屜裡，抬起頭，對上鏡中的自己，一張熱戀中明媚的臉龐，白皙的頸項上烙著無數吻痕，令她憶起昨晚的激情，一抹熱辣辣的紅暈爬上粉頰。

兩人從初相遇時的劍拔弩張，一直到昨晚的情動告白，一幕幕像是無聲電影般從眼前滑過，在她心底定格成一格格甜蜜的風景。

她站起身，走到浴室盥洗一番後，換上襯衫和窄裙，為自己打了杯果汁，烤了一片麵包，用完早餐後，才開車到事務所。

進入辦公室後，助理小葳拿著工作行程表，告知她今天安排了與幾個當事人進行諮詢面談。

開完會後，已經下午快兩點了，她才託小葳到附近的速食店替她買漢堡和可樂。

小葳一手拎著裝漢堡的提袋，一手拿著一個包裹走進茶水間。

「可柔姊，剛才總機說有妳的快遞……」小葳將包裹遞給她。

「我的快遞？」

她愣了愣，接過包裹，看到寄件者寫著巨浚書三個字，嘴角漾起一抹笑容，迅速拆開上面的包裝，裡面裝著一支新款的手機。

「哇～～」小葳咬著漢堡，湊向前，羨慕地說：「可柔姊，這是誰送的啊？這支手機超炫的，照相畫素又高，功能又多，而且外型超酷的……但好貴啊，我在通

訊行看了好多次都買不下手……」

可柔握著手機，為他貼心的舉止感動。

昨天的事件，讓巨浚書無意間得知她的手機被曹明航摔壞，今天便抽空去買了一支和他同款的情侶手機，令她的嘴角忍不住上揚，眉梢眼角都染上笑意。

小葳好奇地翻了一下包裝紙上的寄件人姓名欄，立即聯想到昨天那通電話，她用手肘曖昧地頂著律師的肩膀，笑咪咪地道：「可柔姊，妳該不會是跟那個巨醫生在談戀愛吧？昨天他找妳找得好急啊，聽到妳被姓曹的打傷，緊張得哩——」

「吃妳的漢堡啦！」可柔嬌瞪她一眼，可惜一點效果都沒有。

小葳上班時是她的得力助手，機靈聰明，辦事能力好，但私底下鬼靈精怪的，就像一個淘氣愛鬧的妹妹。

小葳趁著休息室沒人，挨近她，眼尖地瞄到她耳朵後面有紅紅的一圈，看起來好像齒痕……

「可柔姊，妳是不是跟巨醫生在談戀愛？他昨天那麼擔心妳，有沒有到妳家去

關心妳啊？」小葳八卦道。

「拜託，我們只是鄰居好不好……」她口是心非，拿了幾根薯條送進嘴裡，心虛地閃躲小葳的問題。

他們兩個才剛交往而已，這麼高調引人注目不好吧，還是等感情穩定一點再承認吧！

「好可惜喲，妳跟巨醫生看起來好登對，郎才女貌，竟然只是鄰居……」小葳故意露出一臉惋惜的表情，接著涼涼打趣道：「可柔姊，我看昨晚妳家肯定來了隻大蚊子，把妳的脖子咬得紅紅的，而且那隻蚊子還不是普通的大隻……」

可柔聞言，撫摸著自己的脖子，刻意拉高襯衫的領子，但臉頰上的紅暈卻洩漏了她的心虛。

「程小葳，吃妳的薯條啦！」她嬌斥道。

可柔拿起化妝包和手機，走到化妝室，凝睇著鏡子，撩開衣領，果然看到脖子附近全是一圈圈的吻痕，她連忙將束起的馬尾放下來，企圖掩飾昨晚激情的證據。

整裝完畢後，她踅回辦公室，取出舊手機內的晶片卡，迫不及待地將它裝入新手機裡，然後還悄悄地自拍了幾張扮可愛鬼臉的照片。

聽說，談戀愛的人最愛做蠢事。

而她證實了這個理論，趁著休息的空檔，偷偷傳了好幾張照片到他手機裡。

第六章

自從與巨浚書陷入熱戀後，他們幾乎天天膩在一塊，就算只是窩在沙發上吃爆米花、看球賽、打電動都覺得很浪漫有趣。

這三個多星期以來，兩人呈現半同居狀態，只要他不用值夜班，都會留在可柔家過夜，最後索性多買一支刮鬍刀、一把牙刷、一罐男性沐浴乳，霸道地占去她浴室的某個小角落。

平日常穿的睡衣、休閒服、襯衫和西裝褲都留在她家，鞋櫃裡也出現他的皮鞋和球鞋，甚至連客廳的電視櫃下都放著PS2，處處留下熱戀的痕跡。

他們跟時下情侶一樣，一有時間就去約會，有時候一起逛街、看電影，或是開

車上陽明山吃野菜。

這星期六，可柔原本想陪巨浚書參加醫院舉辦的「院長盃」網球比賽，但因為周亞淇的先生——曹明航的委任律師江浩和她約今天下午在事務所附近的咖啡廳碰面，她只好犧牲約會、換上套裝去赴約。

趁著對方的委任律師還沒來之前，她先點了杯冰咖啡，從手提袋裡拿出檔案，再次細讀周亞淇對離婚的訴求。

幾分鐘後，服務生領著一位西裝筆挺、身材高大的男子入座。

「妳好，請問是周女士的委任律師譚可柔嗎？」江浩說。

「是的。」可柔禮貌地伸出手與他交握，回給他一記淡淡的笑容。「我是『齊霖法律事務所』的譚可柔。」

「妳好。」江浩主動掏了張名片遞給她，又向服務生點了杯黑咖啡。

在見到傳聞中的「離婚高手」——譚可柔之前，江浩以為會看到一位長相刻薄、精明幹練的中年女子，畢竟跟她打過官司的男人，都說她超沒良心。

江浩怎麼也沒想到譚可柔竟然美得出奇，身材窈窕，舉手投足間散發優雅氣質，令他眼睛為之一亮。

「譚律師，我們就省略場面話，直接進入主題吧，我的當事人曹明航拒絕離婚，簡單來說，他想繼續經營這段婚姻。」江浩精銳的目光直勾勾地盯住可柔，毫不掩飾對她的好感。

「江律師，曹明航長期對我的當事人進行言語與精神上的虐待，導致她身心受創，已經無法跟他一起生活了，況且曹明航還曾毆打我的當事人……」可柔拿出驗傷單、去警察局備案的影印本遞給江浩。

先前與曹明航進行面談時，他並沒有積極找律師，直到她被曹明航毆傷，到警察局備案後，這男人大概驚覺事態嚴重了，便趕緊尋求江浩幫忙。

根據小葳替她蒐集的資料，江浩的專長並不在離婚官司，而是在國際貿易、詐欺與商業犯罪上，在業界頗具知名度。

「根據醫生診治，我的當事人有躁鬱症，有時會無法控制自己的行為，對於他

在情緒失控下造成妳和周女士的傷害，他願意支付醫藥費和賠償金。」江浩把醫生的診斷證明書輕輕推到她面前。

「江律師，我會不會對曹明航提出傷害行為告訴是一回事，今天我只想表達我當事人的意見，她不想繼續經營這段婚姻，希望曹明航能夠明白，而我的責任就是替她談妥離婚協議，爭取最有利的條件。」可柔輕瞥了桌上的醫生證明一眼，又將目光放回江浩的身上。

「我明白。」江浩雙手交握在桌上，眼底閃爍著笑意。

若不是姑媽的請託，對他施以人情攻勢，他才不想蹚渾水，打一場與自己專業能力無關的離婚官司哩！

「那好，我希望你能說服曹明航接受離婚協議，否則雙方鬧到法庭上，互相控訴對方劣行，以曹先生在商業界的名聲與地位，恐怕會引來媒體關注，對他並沒有好處。」可柔瞟了眼腕上的手錶。

如果她跟江浩的會談早點結束，不曉得趕不趕得上巨浚書的網球賽？但一想到

還得回家換下套裝，她就打消這念頭了。

還不是中午兩人一起出門時，巨浚書穿著白色的網球裝，陽光活潑得像個大學生，反觀她一身淺灰色套裝，嚴肅呆板不說，看起來比他老好多……

唉，她開始感覺到歲月果然是女人的天敵。

二十幾歲剛出社會時，她故意穿套裝、梳髮髻，拚命裝老成，不想給人菜鳥好欺負的感覺。

現在到了三十歲，不用裝，站在十幾二十歲美眉身邊，都覺得青春小鳥離她好遠。

「OK，我已經明白周女士的立場了，既然她堅持離婚，我也會轉述給我的當事人知道，如果他同意放棄這段婚姻，我會再跟妳進行離婚協議。」江浩簡潔作了結論。

「謝謝。」她頷首微笑，輕啜起咖啡。

「譚律師，等會兒有空嗎？」江浩墨黑的眼眸直勾勾地瞅著她，毫不掩飾對她

的好感。

「我以為我們已經討論出一個共識了。」她放下咖啡。

「對於我們當事人的案子，的確是商討出共識。」江浩眼色含笑，別有深意地說：「但對於我們的關係卻還沒有討論出結果。」

江浩的身上有著典型的律師本色，精明、犀利、直接，不習慣浪費時間，一開口就挑明了對她有意思。

「我們的關係？」她微瞇起美眸，謹慎地審視他。

是她誤會了什麼，還是這男人表達得不夠清楚，聽他話裡的暗示，該不會對她有意思吧？

「簡單來說，我對妳印象很好，如果妳不反對，我想約妳吃晚餐。」他簡潔有力地道。

「謝謝你肯定我的工作能力，晚餐的話就不必了。」可柔微微一笑。

「我的邀約與我們手邊正在進行的案子無關，純粹是我對妳印象很好，如果有

機會，我想更進一步認識妳。」江浩盯著她美麗自信的臉龐說道。

他欣賞她渾身散發出一股知性美，聰明、漂亮，給他一種旗鼓相當的感覺。

儘管先前曹明航對譚可柔的評價十分負面，大抵是這女人刁鑽又難纏，還向法院申請保護令等，但就一個律師的專業角度看來，他認為譚可柔表現得可圈可點。

「謝謝你的賞識，但我沒有跟對方的委任律師當朋友的習慣。」她軟軟地回絕他的邀約，低下頭，收拾著桌面的資料。

「我不介意妳打破這個慣例。」江浩如鷹隼般的眼神緊緊地扣住她。

她愈是推拒，愈是激起他的征服慾。

「謝謝你的好意，可惜我等等還有約會。」她回給他一記淡淡的笑容，從容地拎起公事包，站起身。

「我送妳……」江浩主動拿起帳單，走到櫃檯結帳。

「不用了。」她開口拒絕。

「至少讓我送妳到門口。」江浩堅持。

「好吧！」

她站在一旁等他結完帳，兩人雙雙走出咖啡廳。

巨浚書俊偉挺拔的身軀穿著adidas白色網球裝，搭配同色系球鞋，肩上揹著球袋，古銅色肌膚在陽光的照耀下更顯帥氣，活脫脫就像從溫布頓網球賽走出的選手，引來許多愛慕的眼光。

方才在「院長盃」網球賽，與他一起搭檔參加男子雙打的湛醫生，在開場不到十分鐘就扭到腳了，兩人被迫放棄比賽。

他索性提早離開球場，坐著捷運，來到可柔洽談公事的咖啡廳。

遠遠的，他在咖啡廳的騎樓下，認出那抹嬌纖的身影，趁著紅燈亮起時，快步穿過斑馬線，朝對街走去。

「可柔——」巨浚書揹著球袋，喊道。

可柔與江浩站在騎樓下，兩人不約而同地回過頭，看著一臉陽光燦爛的巨浚書朝他們走來。

「嗨！」可柔拎著公事包，淡淡地說，但眉梢眼角全是愛意。

逆著光，江浩微眯起黑眸，打量著眼前青春洋溢的男子，察覺兩人眼神傳遞出的曖昧訊息，多少猜到兩人的關係。

江浩挑釁地望了他一眼，故意帶點輕蔑地說：「他是——妳弟弟？」

聞言，巨浚書的臉上彷彿罩上了層冰霜，他雖然不若眼前這個西裝男成熟穩重，但說他像個弟弟會不會太瞧不起人了。

好歹，他也是知名教學醫院外科住院醫生，事業有成這幾個字他不敢說，但起碼前景看好，算是很有潛力的績優股。

——弟弟?!

這句話像道悶雷重重地劈向可柔，她臉色一凜，僵愣在原地。

她跟巨浚書看起來有差這麼多嗎？

雖然她的身分證上標示著三十歲，但她一直以為自己保養得宜，只要不做太嚴肅的裝扮，應該會比實際年紀小個三、四歲。

難不成那些標榜著抗皺、緊實、延緩老化的保養品，只是商人誘哄消費者掏出鈔票的噱頭，一點成效也沒有？

「不是的……」可柔夾在兩個男人中間，抬睫，瞥了巨浚書一眼，又轉過去看著江浩，禮貌性地介紹兩人認識。「這位是『聯大醫院』的巨浚書醫生……也是我的鄰居。」

方才江浩猜測兩人的關係是姊弟時，深深打擊到可柔的自尊。

礙於面子問題，她不敢坦承兩人的戀愛關係。

鄰居?!

巨浚書像挨了拳，心裡悶悶的，但仍客套地朝陌生男子頷首。「你好，我是『聯大醫院』外科部住院醫生，巨浚書。」

「『威浩法律事務所』——江浩。」西裝筆挺的江浩，言談間顯得霸道十足，

臨走前不忘看了可柔一眼。

「譚律師，我還是希望妳能考慮我的『提議』。」

「提……」可柔回過神來，這才想起他話裡的暗示。

「謝謝你的好意，我心領了。」

「很高興認識二位，先走了。」江浩朝兩人揮揮手，招來計程車，揚長而去。

巨浚書微瞇黑眸，憑著雄性的直覺，他嗅聞到一股競爭狩獵的氣息，試著從兩人的互動找出端倪。

有問題！

這個姓江的，肯定覬覦他女友的美色。

忽然之間，一抹酸酸澀澀的感覺滑過心坎，令他感覺很不好受。

「你不是去參加網球賽嗎？怎麼這麼快就結束了？」可柔漾起一抹過分燦爛的笑容，對上他古怪的臉色。

「跟我搭檔雙打的湛醫生扭傷腳了，所以我們這一組只好退出比賽。」巨浚書

表情淡淡的，還是很介意方才的事。

「沒關係啦，反正下回還有機會。」可柔笑笑地安慰他，頓了一下才說：「剛才我不是故意說你是我鄰居……只是不想讓同業知道我太多隱私……」

她眼神一黯，其實是被江浩那句弟弟給傷到了。

「喔。」他聲音悶悶的。

「你車子停在哪裡？我們一起去取車。」可柔說。

「賣場後面的停車場。」巨浚書欲牽起她的手，卻被她有技巧地閃開了。

她垂下臉，故意將包包換到另一手，閃躲他親密的舉止。平常她著套裝，他穿著襯衫一起出門並不會感覺到年紀的差距。

但現在他一身輕便的運動裝，全身洋溢著青春燦爛的氣息，乍看之下，就像個大學生，站在他身邊，她簡直有點「熟」過了頭……

巨浚書陡然一震，臉色微沈，她刻意閃躲的舉止，重重地傷害了他。

方才她在其他男人面前介紹兩人只是普通的鄰居關係，已經夠教人火大了，現

在又不跟他牽手，是怎麼樣？他這麼上不了檯面？

還是她純粹只把他用來當暖床的情夫，「吃」飽了，就急著想撇清關係？

更遑論上週末，她還跟什麼見鬼的姜代書相親了，雖然她跟他報備過，說啥飯局早在兩人交往前就訂好的，要他體諒一下。

結果，他的寬宏大量換來的就是徹底被「地下化」。

巨浚書愈想愈火大，愈走愈急，揹著球袋，看見黃燈閃爍，魚貫而入地跟著人群，走往對街。

「浚……」可柔看著他愈走愈遠的身影，急急地喚住，結果被紅燈阻在路口。

她呆愣在斑馬線上，看著越過他身邊一個個穿著迷你裙，露出兩條細白長腿，青春洋溢的年輕美眉，忽然感覺很刺眼。

巨浚書這男人把自己的女朋友甩在身邊是什麼意思？他也覺得兩人站在一起的畫面很突兀嗎？

他也嫌她看起來有點老嗎？

單身的時候，她根本不介意身分證上的年紀，坦然面對自己成為輕熟女的事實，但跟巨浚書在一起之後，她變得很敏感，很在意自己大他三歲，怕兩人看起來會差很多。

綠燈亮起後，她踩著高跟鞋，跟著人潮走到對街，此時巨浚書正停在一家便利商店前等她，兩人不發一語，各自板著臉，走到停車場。

「你是什麼意思？」可柔站在車門邊，雙手環胸，先發制人。

「妳在說什麼？」巨浚書打開車門，將球袋甩進後車廂。

「把自己的女朋友甩在身後是什麼意思？」她沈下俏臉，凜聲質問。

「我有把妳甩在身後嗎？是妳故意不走在我旁邊吧？」他凝視她發怒的水眸，心想她該不會後悔跟他交往了吧？

其實她很享受當隻漂亮的花蝴蝶，可以光明正大地享受男人的注目與追求，所以才刻意隱瞞兩人交往的事吧？

「明明是你愈走愈快，一副要把我甩掉的模樣……」她瞪著他。

「如果嫌我走得太快，為什麼不出聲叫我呢？」他反問。

「難道你走路都不用留意自己的女朋友嗎？」她反唇相稽。

以前她不懂，為什麼情侶吵架時，老是呈現「鬼打牆」的現象，在一些瑣碎的小細節上爭辯。

現在她才明白，那些瑣碎的細節裡，都包藏著自己不敢戳破的真相，既沒有勇氣面對，卻又不甘心被委屈的對待。

其實她心底想問的是——

你是不是也覺得我們站在一起很突兀？覺得我看起來有點……老？

但她沒有勇氣問出口，覺得太沒有面子了。

「妳有當我是妳的男朋友嗎？」巨浚書深邃眼眸裡正微微冒火。

他停下替她開車門的舉動，兩人僵持著，如果她不提到「男朋友」這三個字，他還不會這麼生氣。

如今這陣子所受的窩囊氣全一股腦兒地湧上來。

「當然有。」可柔感覺到他的火氣冒上來。

「真的有嗎？」他單手撐住車門，運用身材的優勢將她圍困在車廂與胸膛之間，眼色銳利地盯住她。

「妳剛才是怎麼跟江浩介紹我的？說我們是鄰居？難不成妳跟鄰居見面打招呼的方式就是接吻？妳會讓鄰居半夜爬上妳的床，陪妳睡覺？」

「我……」她自知理虧，吶吶地說：「我只是不想讓對方的委任律師，知道我太多私事。」

她並非故意不想承認兩人的情侶關係，但連江浩都猜他是她的弟弟，這點真的有打擊到她的自尊。

「妳是不想讓江浩知道妳有男朋友吧？這樣才方便接受他的追求吧？」他直率地說：「不要否認，我不是瞎子，我看得出來那傢伙很想追妳。」

「江浩是有釋出善意，但我拒絕了。」她豁出去，索性大方承認，委屈地癟起嘴。「反倒你，一直在跟我鬧情緒。」

原來這傢伙是為了江浩的事在吃醋啊！

一種很複雜又摻點甜蜜的感覺沁上她的心底。

「我跟妳鬧情緒？為什麼不說從頭到尾，妳都沒有給我足夠的安全感呢？」巨浚書決定為自己的「名分」抗爭到底。

孔老夫子說——必也正名乎。

名不正則言不順，言不順則事不成。

如果一直讓自己處於「地下化」，那豈不是永遠只能偷偷摸摸當個陪睡的小情夫，然後看著外頭的豺狼虎豹覬覦她的美色，還得含淚送她去相親。

這種日子，不只窩囊，愈想愈悲情。

雖然，愛情裡，先說愛的人永遠屈於下位，但他也愛得太卑微了吧！

「我哪沒有給你安全感？」她愣住，沒料到他會有這種感覺。

「我當妳的男朋友讓妳很為難嗎？」他忍不住控訴道。

「如果覺得為難的話，我怎麼可能跟你交往。」她被他凶得有點莫名其妙。

「那妳為什麼不敢公開我們的關係呢？」他眼神變得嚴肅，認真地說：「江浩的事我能理解，但譚媽媽呢？上星期她要妳去跟什麼姜代書相親，妳為什麼不直接拒絕？為什麼不直接挑明自己有男朋友？」

現在再回想起來，上回譚媽媽送雞湯給她時，這女人還一副「抓姦在床」的緊張模樣，甚至把他藏進衣櫥裡，根本就是前科累累，存心要把他「地下化」。

他有這麼「見光死」嗎？

「我……」她一時語塞。

她並非刻意把他藏起來，只是以老媽唯恐天下不亂的個性，要是讓她知道巨浚書的存在，搞不好會連夜逼他娶她。

他們感情雖然穩定，但也沒有到論及婚嫁的階段吧！

而且她還是很介意兩人在年紀上的差距……

簡單一句話，她就是不曉得怎麼調適心理，面對兩人的姊弟戀。

「我要去朋友那兒坐坐，妳自己開車回去吧！」他拉起她的手，將車鑰匙放進

她手心。

她惶惑地看向巨浚書，他別開臉，轉身走出停車場。

望著他被夕陽拉得又瘦又長的背影，她發現自己真的傷了他……

因為她的不夠勇敢和坦率，深深地挫傷了他的自尊。

✿ ✿ ✿

是夜。

可柔摟著抱枕，呆坐在沙發上，看到巨浚書傳了封簡訊過來，僅有短短的兩個字——

晚安。

以往，兩人都會甜蜜地膩在一起，但在停車場發生爭執，他讓她先開車回家

後，就沒有再找過她，顯然是在生悶氣。

她自知理虧，他是有生氣的權利。

在街上，他要牽她的手時，她太介意旁人的目光，便把包包換到左手，閃躲他親暱的舉止。

如果兩人還要繼續交往，年紀上的差距永遠是改變不了的事實，與其一直介意他人的目光，影響兩人的感情，還不如坦然面對。

大不了，以後她打扮得年輕一點，再不濟就多敷點面膜，努力抗老。

誰教她有這麼多男人可以選，偏偏只對一個比自己小的男人心動呢？

勇敢愛了，就歡喜受吧！

反省過後，她拿起他屋裡的鑰匙，打開他家的門，轉身鎖上後，悄悄地走過客廳，來到他的房間。

夜裡，整個城市安靜下來後，他清楚聽見她開門的聲音，知道她正躡手躡腳地朝床邊走近，他故意捲起被毯，側過身去。

可柔掩上房門後，坐在床的右側，褪去拖鞋，一寸一寸地挨近他，將他擠到床的左側去。

巨浚書移過身子，還是背對她。

「你知不知道我為什麼想要睡在你右邊？」她柔柔地貼近他。

「不知道。」他故意裝作一副很冷淡的樣子。

其實他早在傳簡訊給她時就不生氣了，只是想在自己慣壞她之前，先替自己爭取一點該有的權益。

「根據西班牙心理研究人員發現，當你要說服一個人做某些事時，最好在他的右耳說話，成功的機率會比較高……」她放柔語氣，纖細的手指在他的手臂畫圈圈。「如果這個理論是正確的話，你應該會原諒我吧，不要再生氣了好嗎？」

凝視著他的背脊，可柔這才明白，原來談戀愛時，不只女人希望被哄，男人也需要被哄。

她貼近他的耳畔低語，溫熱的氣息吹拂在他身上，騷動了他的心。

「哼！」他輕哼一聲。

「對不起嘛……」她軟軟地說：「我不是故意不想承認你是我男朋友，而是不曉得該怎麼面對外界的眼光，畢竟我大你三歲欸……」

「談戀愛是我們兩人的事，我們自己覺得幸福就好了，妳幹麼一直在乎外界的眼光？妳最該關心是我的感受吧？」他轉過身，看著她，激動地說。

「更何況我們只是差三歲，又不是差三十歲，妳擔心站在我身邊被嫌老，就不知道我也會介意別人說我看起來像小毛頭嗎？」

思及下午江浩打量他時，那副沈穩霸氣的模樣，還是令他感到不舒服。

「你才不是小毛頭，你是未來的外科主治醫生耶！」她的聲音柔得快滴出水來，伸手捧住他的俊臉，一個歉然的吻落在他的眉心。

「還要熬好幾年才是。」巨浚書撇撇嘴，擺酷，故意不看她。

這次他決定要「硬」起來，在「正名」成功之前，絕不妥協——

「把衣服脫起來啦……」她偎向他的背，曖昧的語氣含著熱情的暗示，挑情的

手心滑進他的衣內，撫摸著精壯的腹肌。

「不要，我會冷。」他從齒縫裡迸出話來，承受著自尊和慾望的拉鋸，一臉煎熬。

「我抱著你就不會冷了。」她語氣溫柔到像在哄一個鬧脾氣的小孩，拉起他的上半身，撩起腰間的衣襬，拉過頭，脫下他身上的棉衫，露出精瘦結實的胸膛。

她跨坐在他腰間，捧起他的臉，主動給他一個吻。

不同於以往，她總是被動地承受他的親吻，這次她的唇來來回回刷過他的嘴，柔軟的舌探入唇中，兩人唇齒相依，激切地糾纏著彼此。

他的感官裡充滿著她獨特的氣味，貪婪地汲取她的芳甜，兩人愈吻愈深，他的大手不安地從她的腰間沒入罩衫內，俐落地解開她內衣的背釦。

兩人結束熱吻，額頭抵著額頭，彼此的眼眸都氤氳上一層朦朧的情慾。

「不要再生氣了，好嗎？」她勾住他的脖子，柔聲地說。

「不生氣會怎樣？」他一臉無辜，像個討糖吃的小孩。

「不生氣的好孩子，會有獎勵……」她的嘴角勾起一抹頑皮且曖昧的微笑，壓下他的身體，整個人趴在精實的胸膛上，輕啄他的唇，神秘地笑道：「還會有糖吃……」

她探索的吻沿著他泛著淡淡鬍渣的下顎，輕吻他性感的喉結、敏感的頸項，往下來到他結實的胸膛、平坦的小腹——

隨著她嬉鬧的舔吻，彷彿在他的體內放了一把火，教他全身熱了起來，一股強烈的熱息在腹間湧動著。

他翻身，將她壓覆在身下，居高臨下睇著她一臉無辜的嬌顏。

「下次不准妳再用這招道歉……」在她熱情的挑逗之下，他覺得全身快爆炸了。

「為什麼？」她裝傻。

他頓了一下，才說道：「太邪惡了……」也太有效了。

「不管邪不邪惡，只要對你有用的就是好招。」

她主動勾住他的脖子，將他的唇壓向自己的嘴，又是一記深吻，吻得他全身火熱，慾望勃發。

他的雙眼因熱情和迫切的渴望，而變得更加墨黑深濃，他將她頑皮的雙手禁錮在頭上，凝睇著性感又帶著無辜的甜美嬌顏。

他俯身，給了她一記火熱到連腳趾都忍不住蜷縮起的法式熱吻，然後熱情地用身體告訴她，這一招有多麼邪惡……

第七章

夏天，兩側行道樹上蟬鳴聲不絕於耳，可柔搭計程車來到巨浚書位於內湖的老家，付了車資後，她一手拎著一套粉紅色嬰兒服，一手拿著周意瑟給她的住址，前來探視生完寶寶、在婆家坐月子的好友。

原本她想邀巨浚書一起過來，但下午打他手機沒人接，只好作罷。不過，剛走進巷口時，卻在路邊看到他的車。

她又掏出手機打了一次，還是沒接通，便直接前去按門鈴。

在等待開門這段時間，她瞧著屋前的小花園，裡頭種植了一整排的薰衣草和紫羅蘭，草皮上還擱著一個兒童專用的小泳圈，看起來溫馨可愛。

「妳是……」巨媽媽腰間繫著圍裙，從屋內走了出來。

「您好，我是意瑟的朋友，我叫譚可柔。」可柔溫婉微笑。

「喔～～」巨媽媽揚高音量，笑道：「就是那個當律師的嘛……快進來坐，意瑟人在二樓右邊那個房間，正在照顧小孩，妳直接上樓就可以了，我廚房還在忙，就先不招呼妳了。」

「沒關係，我自己上樓去。」她在玄關處脫下鞋，在鞋櫃上認出巨浚書的皮鞋，本來想問巨媽媽，浚書是不是在家，但又覺得太突然了，所以啥都沒說。

「可柔，等會兒留下來吃晚餐喔！」巨媽媽熱情地說完後便走進廚房。

「謝謝巨媽媽。」可柔換上拖鞋，爬樓梯到二樓，見右側的房間沒關，裡頭傳來一陣嬰兒的哭叫聲。

她象徵性地敲了敲門，說道：「意瑟，我進來了喔！」

「乖，樂樂乖～～不要哭喔～～」意瑟正忙著安撫懷裡的小女娃，她走到門邊，微笑道：「可柔，妳來啦！」

「這套嬰兒裝送給妳家小公主。」可柔將裝著嬰兒服的提袋放在矮櫃上，走向前，逗著她懷裡的小女娃。「哇，妳女兒長得跟妳好像喔！」

小女娃停止哭聲，睜大圓滾滾的眼睛，伸出小小的小手，碰到可柔的指頭，格格地笑了。

「跟我很像嗎？大家都說比較像浚琛。」意瑟抱著女娃，臉上洋溢著幸福的笑容。

「我覺得都很像。」可柔抬眸瞥了好友一眼，又看看她懷裡的小女嬰，做出結論。

「要不要抱看看？」意瑟說。

「可以嗎？」可柔水亮的眼眸盈滿期待，小心翼翼地接過小女娃，一手摟住她軟綿綿的身子，一手托住她頸項，將臉湊近——

「寶寶好香喔！」

她在小女娃身上嗅聞到一股甜甜的奶香味，心窩暖暖的，突然好想擁有一個屬

於自己的小孩。

她記得西方有句話說：愛情這種東西是不存在，存在的只是愛情的證據。

這小女娃就是見證好友幸福的完美證據吧！

這層體認讓她對婚姻又多了幾分憧憬。

可柔忍不住幻想著，不曉得她跟巨浚書生的小孩會不會這麼可愛，男的應該會像他，女生則會像自己吧？

「呵……」小女娃將手指塞到嘴邊，又格格地笑了。

可柔小心翼翼地將小女娃遞回意瑟懷裡，兩人一起坐在床畔閒聊。

「巨浚書是不是在家啊？我剛在樓下好像看到他的車子……」可柔故作不經意地問起。

先前，她搬家時曾告知意瑟，巨浚書剛好住她隔壁的事，後來兩人交往了，意瑟忙著待產，她找不到適當的時機開口。

「他在三樓陪壯壯玩啦！」意瑟補充道：「剛我婆婆打電話叫他來檢查樂樂的

排便狀況，擔心她腸子有問題。」

「喔。」她腦海閃過他仔細翻著一包包尿布的畫面，忍不住輕笑出聲。

意瑟抬眸凝視著可柔的側臉。「妳是不是跟浚書在交往？」

「妳怎麼知道？他跟妳說的？」可柔感覺臉頰熱熱燙燙的，有點不好意思。

「我猜的啊！」意瑟輕笑道：「有一天他回來家裡吃飯，一直問我，譚可柔是不是我儀隊的學姊？我們很熟嗎？她很難追嗎？有沒有愛吃什麼東西？興趣是什麼？嗜好呢？單身嗎？還硬要我回去翻找我們以前高中照片，說想看看妳學生時代長怎樣？」

「所以妳全都告訴他了？」可柔微窘。

怪不得兩人在曖昧期時，每回他買宵夜上門，都能精準地猜中她喜歡的口味。

原來這一切不是巧合，而是他有心待她好。

她心底一陣暖，原來被捧在手心寵溺的感覺這麼好。

「他說我是他的戀愛後備補給隊，一定要提供情報，全力支持他。」意瑟說，

忍不住讚美起巨浚書。「妳不要看浚書看起來好像很孩子氣，其實他很成熟、心思超細膩，而且很有耐心，剛才我婆婆拿兩包尿布遞到他面前時，他還是很專業地檢查起來，一點都不嫌臭。」

「對啊，他人滿好的。」可柔微笑地附議。

「他在樓上，妳直接上去找他吧，我先哄樂樂睡覺，妳等會兒要留下來吃飯喔！」意瑟說。

「妳有跟他說我要來嗎？」可柔問道。

「沒有欸，剛才忙著餵樂樂喝奶，他又被壯壯纏到樓上去，根本沒時間說。」

「那我直接上樓找他。」可柔起身，走出臥房。

夕陽溜過玻璃窗帷，斜斜地映照在三樓一間充滿大男孩氣息的臥房，牆壁上張貼著灌籃高手和籃球明星Michael Jordan的海報。

書架上擺放了一座座科學競賽的獎盃和獎狀，小小的單人床上躺臥著一個高大

的男子，背上還坐著一個小男孩。

「小叔叔，當馬給我騎啦！」壯壯纏著躺臥在單人床上的俊偉男子嚷道。

「我剛已經當了十分鐘的馬了。」陪小傢伙玩十分鐘，比在醫院值班十個小時還累，巨浚書筋疲力盡地道。

「不夠不夠，我還要再坐十次。」壯壯跨坐在巨浚書臀上，扯著他腰間的皮帶當作韁繩。

「呃——」他發出斷氣聲，持續裝死。「我現在是一匹死馬了。」

「奶奶說：死馬也要當活馬醫——」壯壯伸出小手，胡亂在他背上亂按一通。

「我現在把你醫好了，你是一匹活馬！」

巨浚書癱在床上，一動也不動。

「架～～架～～」壯壯扯住他的皮帶，發出類似馴馬的聲音。「快點動啊！浚書叔叔，快起來啊！」

「我死了啦！」他沒好氣地道。

「你再不起來，我要喊你大便叔叔喔！我要去安親班跟老師說，浚書叔叔是大便叔叔，檢查尿布的大便叔叔。」壯壯鬼靈精怪地說。

壯壯溜下床，一直高喊著大便叔叔，然後踩著小小的步伐跨出房門，在玄關處遇見可柔。

可柔將食指放在嘴唇上，示意要壯壯不要出聲。

「噓——」壯壯似懂非懂地點點頭，也模仿她的動作。

可柔躡手躡腳地走進房裡，挨近他身邊，低聲道：「一個吻，可以把死去的王子給喚醒嗎？」

巨浚書霍地睜眼，對上可柔的嬌顏時，臉上有說不出的驚喜。

「妳怎麼來了？」他翻身坐起。

「我來看意瑟跟寶寶，剛有打電話給你，但手機不通。」可柔坐在床沿，順手摟住壯壯。

「我的手機沒電了，又忘記帶備用電池。」巨浚書解釋道。

「叫阿姨。」可柔摸了摸壯壯圓圓的臉蛋。

「漂漂阿姨～～」壯壯嘴甜。

「壯壯，去樓下玩。」巨浚書想把夾在兩人間的超亮電燈泡趕走。

「漂漂阿姨，浚書叔叔是大便叔叔，他最喜歡看大便了！」壯壯一臉興奮，揚高音量。

巨浚書的額際多了三條斜線，感覺糗斃了！

可柔被小傢伙的童言童語給逗笑了。

「臭小子，我有受過專業糞便檢查的訓練，你有嗎？」巨浚書輕彈一下壯壯的額頭，硬是把他趕下樓。「走走走，下樓去找奶奶玩。」

「不要！」壯壯嘟起嘴，硬是膩在可柔的懷裡，覺得漂漂阿姨不只身體香香的，連頭髮也香香的，抱起來好舒服。

「乖，你下樓去，等一下我陪你玩半小時的騎馬打仗。」巨浚書哄道，爭取和女友獨處的時間。

「好。」壯壯點點頭。

可柔摸摸壯壯柔軟的頭髮，看著他小小的身子蹭出她懷裡，往樓下走去。

巨浚書從身後摟住她，兩人雙雙躺臥在小小的單人床上，他霸道地手臂箍住她纖細的腰身，輕吻著她的髮際和頸項。

「這是你以前的房間啊？」可柔的背脊貼在他胸膛前，好奇的目光梭巡了室內一眼。

「對啊！」巨浚書輕撫著她細嫩的手臂。

「我可以參觀看看嗎？」她拉起他放置在腰間的大手，走到書架前，隨意瀏覽著上頭的藏書。

書架上擺放了成套的金庸全集、灌籃高手、倪匡的科幻小說等，還有一堆數不清的獎狀，看得出來他學生時代，成績相當優異。

「你有畢業紀念冊嗎？」她好奇地說。

「如果書架上沒看到，大概就收在最底層的抽屜裡，妳自己找看看。」巨浚書

呈現大字形躺在床上，累得連根手指都懶得動。

「我自己找看看。」可柔蹲下身，很用力地拉開底層的抽屜。

抽屜裡收納了一堆棒球卡、籃球雜誌等，最底部還藏了一套漫畫，她好奇地抽起來，翻閱了幾頁，竟然是一本十八限的色情漫畫，內容大概講述一個滿腦子色情害蟲的男主角吃了一種類似魚卵的東西，變成透明人，然後做出一些低級壞事。

「巨浚書，想不到你也會看這種東西？有夠無聊的……」她揚揚手上的色情漫畫，忍不住取笑道。

原來他學生時代外表看起來品學兼優，但內心卻住著一個色情小惡魔。

「什麼東西？」巨浚書盤坐在她身邊，定睛一看，發現是本色情漫畫後，俊臉脹紅，心虛地喊道：「這不是我的啦！」

「是嗎？」她半信半疑。

「是我三哥藏在我這裡的……」巨浚書立刻嫁禍給不在場人士，一臉嚴肅地澄清。「像我這麼正直、善良、純潔的好學生，怎麼可能藏這麼邪惡敗德的東西。」

他愈描愈黑，簡直就是此地無銀三百兩。

「那我再挖挖看還有沒有其他的寶物。」她作勢繼續翻著下層的抽屜，沒想到參觀男生的房間這麼好玩。

「沒有了啦！下面的書都是灰塵，不要翻了。」巨浚書制止她的動作，忍不住求饒，怕她再挖出更多有損他陽光開朗形象的東西。

「呵——」他作賊心虛的表情，逗笑她。

「再笑我就要吻妳喔——」他壞壞地威脅道。

她還來不及反應過來，他熱呼呼的嘴便湊上來，吞噬她未竟的話語。

兩人跪坐在地上，他的大手捧起她的臉，嘴唇來來回回刷過她的唇瓣，帶著幾分懲罰意味，火熱的舌探入她口中，貪婪地汲取其中的芳甜，盡情地與她的唇齒嬉戲著。

斜斜的夕陽穿過窗帷，在兩人身邊灑下一圈金黃，將他們深情擁吻的畫面，定格成一幕幸福的風景。

門框旁，一大一小很有默契地將食指抵在唇上。

「噓——」巨媽媽暗示道。

「噓——」壯壯也附議。

兩人交換了一記眼神，成為房內這對情侶愛情的見證者。

當晚，巨浚書和可柔交往的事，便從餐桌上流傳到整個巨家成員的耳裡……

✿ ✿ ✿

為了曹明航與周亞淇的離婚協議案，譚可柔與江浩兩人約在「齊霖法律事務所」的會議室進行最後一次協商。

在幾番溝通之下，曹明航同意離婚，小孩的監護權歸給周亞淇，在孩子成年前，男方必須按月負擔養育費，且要支付周亞淇一筆撫慰金。

協商結束後，可柔要助理小葳送江浩下樓，她則留在辦公室處理一些文件，等到晚上六點多，才收拾包包，拿起傘，搭電梯下樓。

大雨滂沱的街道上，淅瀝瀝的雨聲和車輛的喇叭聲不絕於耳，她站在騎樓前，伸出手，欲招計程車，但攔了幾次，都等不到空車，反倒是疾馳而過的車輛，噴濺起一陣水花，將她的褲管和高跟鞋打濕了。

驀地，一輛銀色賓士停在她的跟前，車窗緩緩下降——

「上車吧！」江浩從駕駛座上探過身，喊道。

可柔認出江浩，搖頭拒絕。「不用了，我搭計程車回去就行了。」

「下雨天，又是尖鋒時段，車子很難等，瞧妳衣服都濕了，還是上車吧！」江浩提議道。

可柔的視線往下一瞟，發現米白色絲質襯衫上濺到傘緣的水珠，整件上衣呈現半透明狀態，雖然裡面多穿了一件蕾絲襯衣，但仍隱約勾勒出胸部的形狀。

「真的不用了……」她微窘，下意識往後退了一步，又踩到路面凹陷的水坑，高跟鞋和褲管下緣更濕了。

「這裡不能停車——」江浩探身，打開車門，強勁的雨勢飛濺進車廂內。

兩人僵持了幾分鐘，引來後方車子催促的喇叭聲，可柔只好收起傘，狼狽地鑽入車內。

江浩單手握住方向盤，體貼地將一盒面紙遞給她。

「謝謝。」可柔接過面紙，抽了好幾張，拭去手臂和臉上的水珠，刻意把包包擋在胸前，遮住半透明的襯衫。

車窗上，雨刷賣力地擺動，刷去一層又一層的水痕，車裡的氣氛安靜到讓可柔感覺有幾分不自在。

「我不是讓小葳送你下樓了嗎？你怎麼還在我們大樓下？」可柔好奇地追問，想找話題打破尷尬的氣氛。

最近兩人為了周亞淇和曹明航的離婚協議，來往次數頻繁，她多少可以感覺到江浩釋出的曖昧訊息，所以，除非是必要的協商會議，私下她一律不接他的電話，不讓兩人有單獨相處的機會。

但沒有想到，卻在案子結束的最後一天，難逃兩人獨處的窘境。

「我是特地坐在對街的咖啡廳等妳，還叫樓下的警衛幫我留意，只要妳一出辦公室就通知我。」江浩挑明地說。

「你想幹麼？」她警戒地瞪他。

「我沒有想幹麼，只想送妳回家而已。」江浩唇邊勾起一抹笑，透過後視鏡瞥看她緊張的神色，覺得可愛極了。

「你把車子停在前面的捷運站就行了，我搭捷運回家。」可柔沈下臉，機靈地拿出手機打給小葳，說自己在江浩車上，到家會打給她。

可柔一方面是想警告他，另一方面也是保護自己。

「我說送妳回家，就會把妳安全送到家，不會對妳有什麼非分之想，妳放心啦！」江浩失笑，一邊操著方向盤，一邊說道：「妳應該可以感覺得出來，我對妳有好感吧？」

可柔凜著臉，不想搭腔。

不只她有感覺，現在連整間事務所的人，都感覺到江浩想追求她。

這讓她多少有點……困擾。

「大家都是成年人，工作又這麼忙，我就直截了當地說了，我想追妳——」江浩單刀直入，展現律師俐落明快的性格。

現在是速食戀愛的時代，他沒有耐性玩什麼迂迂迴迴的曖昧遊戲，一旦鎖定目標，就非得到手不可。

「我已經有男朋友了。」她篤定地說，不給他任何機會。

「那個小住院醫生？」他的語氣帶著幾分輕蔑的意味。

「對。」可柔瞪了他一眼，還是有點記恨他說巨浚書是她弟弟。

明明她素顏時，兩人看起來沒差多少，她甚至還比巨浚書年輕咧！

因為這傢伙的一番話，害得她隔天立即衝進百貨公司的化妝品專櫃，扛了一大袋保養品回家，每晚勤奮地敷臉。

「他多大？」江浩好奇地說。

「二十七歲。」

「妳幾歲？」江浩又問道。

「三十歲。」她果決地說，不再扭捏作勢，坦然面對兩人在年紀上的差距。

反正現在除了唯恐天下不亂的老媽還不曉得她和巨浚書在談戀愛，身邊的朋友包括巨家的老老小小，都贊成兩人的姊弟戀，也給予正面支持，她根本沒什麼好迴避的。

「譚律師，妳知道我幾歲嗎？」江浩反問她。

「江律師，我對你的年紀沒有興趣，麻煩你開到前面的捷運站。」可柔拒絕得相當徹底。

「我也想開快一點，可惜現在是尖鋒時段，車子太堵了……」江浩又把話題繞回來，進行另一波攻防戰。「譚律師，我今年三十五歲了，未婚，年收入破五百萬——」

「你的感情狀況和年收入跟我沒有關係，不用向我報告。」可柔瞪了他一眼，打斷他的話。

「妳跟那個住院醫生有結婚的計劃嗎？」他狠準地直攻譚可柔與巨浚書感情的弱點。

兩人在溝通周亞淇的離婚案子時，他看得出來她比雙方當事人還要保護小孩，儘量避免兩人尋求法律判決，一旦讓小孩上法院聽著爸爸、媽媽互揭傷疤、攻擊對方，對小孩來說是雙重傷害。

她的所有條件符合他的擇偶標準，介於三十歲的適婚年紀，思想成熟、個性獨立、美麗知性、聰明，又愛小孩，重點是他對她有感覺。

可柔愣了下，沒料到江浩會丟出這個問題。

她跟巨浚書有結婚的計劃嗎？

兩人愛得甜甜蜜蜜，不管是生活習慣或價值觀都很契合，但結婚這一點倒是都沒有談過，她依稀記得，他曾說過希望升上外科主治醫生才結婚，結果他的前女友等不及就兵變了……

驀地，她心一沈，巨浚書該不會真的要等到升上主治醫生才打算結婚吧？

從住院醫生到主治醫生，起碼要五、六年的時間，到時候她都三十六歲了，他們的愛情能夠維持到那時候嗎？

她隱約感覺到江浩投來的視線，轉過頭，狠瞪他一眼，沒好氣地回嘴。「江律師，我跟巨浚書有沒有結婚計劃都不關你的事。」

她覺得江浩這個男人根本是她生命裡的大魔王，每次出現，都帶給她不同的劫難，逼得她面對自己感情上的隱憂。

上一次，他惡狠狠地提醒她，外界對姊弟戀的觀感；這一回又殘酷地點醒，她跟巨浚書沒有未來。

她的生理時鐘已經走到了生兒育女的階段，每一分、每一秒對她來說都像黃金一樣珍貴，浪費不得。

「怎麼會不關我的事呢？只要妳未婚，我都有追求妳的權利。」江浩一點也不掩飾對她的好感。

他就愛她又嗆又辣的個性，充滿挑戰性，體內升起一股想征服她的狂熱慾望。

「但是我一點都不稀罕你的追求。」她僵著臉，重申道。

她生眼沒見過這麼霸道、自以為是的男人，根本就是沙豬主義的代言者，就算她跟巨浚書真的走不下去，也不可能考慮江浩。

「但妳不覺得我比巨浚書更適合妳嗎？」他自覺在擇偶條件上，占了比巨浚書更多的優勢。「我們年紀相當，剛好處於適婚年齡，工作性質差不多，如果妳願意給我機會，我相信我們會很適合。」

「一點都不覺得。」她冷冷地說，索性別開臉，不想面對他。

江浩在附近的捷運站兜了一圈，每個路口都站了警察維持交通，找不到可以臨時停車的地方，她被迫只好說出隔著住家兩條馬路遠的地方，附近緊鄰警察局，是最安全又不會曝露住家的地方。

十分鐘後，車子停在附近的巷口，可柔顧不得外頭還下著雨，直接打開車門，踩過坑坑疤疤的路面。

江浩停妥車子後，拾起她遺留在車內的雨傘，追了出來。

「妳的雨傘——」他快步奔向前，把她納在傘下。

「江律師，謝謝你的便車，希望我們在結束周亞淇的案子後可以斷了聯絡，不管未來我跟巨浚書會怎麼樣，我都不會選擇你……」可柔堅定地拒絕，絲毫沒有轉圜的餘地。

江浩眼角的餘光，越過可柔的肩頭，瞧見一抹熟悉的身影朝兩人走過來，他勾起嘴角，故意箝住她的纖腰，將嘴壓向可柔喋喋不休的唇。

她瞠大水眸，愣怔了下，用力推開他。

「這一吻，當作是妳拒絕的補償。」江浩丟給可柔身後的男人一記挑釁的眼神，然後把傘遞交到她手裡。

「你……」可柔氣得咬牙切齒，轉過身，想追罵他。

她絕對會告這男人性騷擾——

但當她轉過身去，卻對上巨浚書陰霾的臉色時，所有的話全都梗在喉間。

她像傻了一般，呆愣在原地。

他看見了嗎？

兩人各自站在傘下，隔著雨幕互望對方。

她和江浩的那一吻，彷彿一個熱辣辣的耳刮子甩上巨浚書的臉頰，不只踐踏了他的自尊，也傷了他的心。

而掀起這場風暴的第三者，卻若無其事地鑽回車內，發動引擎，車頭燈射出一束強光，打在兩人蒼白難堪的臉上。

慘澹的路燈下，淅瀝瀝的雨水打下來，街上縱有各種聲音混雜，但彷彿全被阻隔在雨幕裡，兩人無言地對望著……

第八章

電梯的鋼面鏡門映出一男一女神色黯然地垂下臉，各自盯著腳尖，誰也沒有勇氣迎視對方的臉。

隨著電梯一層一層往上攀升，巨浚書的心卻一寸一寸地往下掉，彷彿墜入了無底深淵。

當他見到江浩投來挑釁的目光，還有兩人接吻的畫面時，宛若有一隻手探入胸口，殘忍地揪住他的心，教他痛得喘不過氣。

從他知道可柔和江浩在業務上有往來後，他暗地裡調查過那傢伙的背景，三十五歲，「威浩法律事務所」的合夥人之一，在承辦商業犯罪案上頗具名氣，成熟多

金，在婚姻市場上炙手可熱。

若不考量愛情，以客觀條件來說，江浩那傢伙比自己更適合任何一位已屆適婚年齡的女性。

驀地，可柔與譚媽媽的一段對話滑過他的腦海——

有一天我一定會找個年紀、收入、學歷，各方面條件跟我差不多的男人結婚……

所以江浩那傢伙是可柔心中理想的結婚對象嗎？

他們該不會——

噹！

電梯抵達樓層，發出清脆的聲音，阻斷了巨淩書的思緒，兩人的目光在空中交會，然後一前一後地跨出電梯門。

可柔難堪地咬著唇，不曉得該如何啟齒，他沈默的表情教她好害怕，他生氣了吧？他誤會了嗎？

該死的，這男人怎麼能夠這麼冷靜？

「巨浚書。」可柔站在自家的門口，叫住他。「你沒有什麼話要問我嗎？」

「妳希望我問什麼呢？」巨浚書轉過身，沈鬱的黑眸瞅著她。

他多想質問她，對江浩心動了嗎？

對他的吻是不是有感覺？

她想跟他試著交往看看嗎？

但他開不了口，怕她的答案不是自己要的。

更害怕，一旦說出口，他就被判出局，失去了愛她的資格。

第一次，他覺得自己在愛情面前失去了競爭力，如果他再早幾年出生，也許現在就不是一個小小的住院醫生，還可以給她更多篤定的承諾。

可是她現在跑在他前面，不管他怎麼追趕，都無法縮短兩人的距離，尤其多了

江浩這個競爭者，更曝露了自己的缺點。

當他還一步一步攀著白色巨塔的階梯時，她和江浩兩人已經走到事業的頂端。

「我跟江浩一點關係都沒有……」可柔走向前，拉拉他的手臂，著急地澄清。「今天我們剛好辦妥周亞淇的離婚案子，我在路邊攔不到計程車，才會搭他的便車……我不知道他怎麼會突然吻我……」

「請你相信我，我沒有接受他的吻……我甚至可以控告他性騷擾……」可柔一臉認真地道。

當初她的態度應該再堅定一點，離那個壞心眼、自大的傢伙遠一點，就不會發生這一連串不愉快的事。

也許她真該狠一點，告那傢伙性騷擾，讓他知道自己對他一點興趣也沒有，不管他條件多出色、對她多有好感，她都不會對一個自以為是、目中無人的沙文豬動心。

「妳真的想告他嗎？」巨浚書凝視著她的臉。

「呃——」她愣了下，仔細評估告江浩的可行性，以他狂妄自負的個性和狡猾刁鑽的口才，再加上法院的人脈，性騷擾案件不一定會成立，反而還徒增兩人的見面次數。

她猶豫的表情再次傷害了巨浚書的心，他極度不願意去揣測她和江浩之間除了那個吻之外還有些什麼，也很想學會信任她，畢竟兩人之間擁有無數甜蜜的回憶、相知的默契。

但，思及他和江浩第一次見面的場景，她竟謊稱兩人的關係只是鄰居，是不是早已用曖昧不明的態度，預留下無限的可能性？

她是不是覺得和江浩相逢恨晚？

那傢伙才符合她心目中理想的結婚對象，大她五歲，她永遠不必介意外人的眼光，更無須承受姊弟戀才有的壓力。

兩人在事業上的成就旗鼓相當，不像他還不知得熬多少年才能升上主治醫生。

「如果這麼做，才會讓你有安全感，我可以提出告訴……」她的聲音有些虛

弱，對這場官司顯得沒把握。

「不用了。」巨淩書一臉壓抑地望著她，一把叫嫉妒的火正在胸臆間狂竄燎燒著。

他太過沈靜冷漠的態度駭住她。

她從沒見過這樣的巨淩書，明明就站在她面前，卻彷彿隔著千山萬水，遙不可及。

她感覺好無助，悽愴地抿抿唇。

「淩書……」他的冷漠教她好難堪。

他是不是打從心底就不相信她的說辭呢？

他們之間的感情真的那麼脆弱嗎？

脆弱到憑江浩一個吻，就可以擊垮？

她眼色茫然地與他對峙著，四周安靜而沈重。

良久，巨淩書才開口說道：「下個月我們教授要主持一場醫學發表會，我和其

他醫生必須協助他做研究、寫論文，所以這陣子我下班後會住在醫院的宿舍，方便和他們討論報告。」

也許趁這段時間，拉開一些距離，讓彼此冷靜冷靜會比較好。

他們都該思考一下，兩人的愛情該如何延續下去？

「為什麼這麼突然？」她緊張地追問。

「這件事是我們小組今天討論決定的……」巨浚書說。

一開始張醫生提議要一起住在醫院宿舍時，他還有些猶豫，不想太快給予答案，而如今卻成為兩人冷靜期最好的理由。

「那、那你好好照顧自己，不要太累了……」她點點頭，一時之間不曉得該說什麼才好。

「妳也是。」他凝視著她神情脆弱的小臉，壓抑住想衝上前擁抱她的衝動。

「有空打電話給我，傳簡訊也可以。」她露出一抹苦澀的笑容，沒想到兩人的對話竟會變成這般生疏客套。

「嗯。」他點點頭，望了她最後一眼，說道：「晚安。」

「晚安。」

她急急掏出鑰匙，打開門，在眼淚奪眶而出時，轉身掩上門。

巨浚書站在原地，怔怔地望著掩上的鐵門發呆，他捨不得放手讓她離去，卻又害怕江浩才是她心底最想要的選擇。

也許，他淡出她的生活圈一段時間，會讓她看清哪個男人才是她幸福的抉擇……

這半個多月以來，巨浚書徹底淡出可柔的生活圈，兩人的互動僅剩下每晚睡前用簡訊道晚安，或簡短報告一天的工作行程，不再像過去那般充滿甜蜜傻氣的說情話。

每當電話響起時，可柔都期待著話筒的另一端是巨浚書，但一接聽起，總是失

望不已。

她不敢主動打給他，怕打擾到他的工作，只能被動地等待著。

她頹然跌坐在沙發上，看著電視櫃上還放著他愛玩的PS2、磁磚上鋪著他送的地毯，耳邊彷彿還迴蕩著兩人嬉鬧的笑聲……

那些甜蜜的擁吻、特有的默契，是那麼地刻骨銘心。

當她想念他的時候，心就會變得格外脆弱，情痛的淚水溢出眼眶，蜿蜒滑過臉頰，匯聚成一灘苦澀的酸楚。

以她對巨浚書的了解，橫亙在他們中間的問題絕對不是一個江浩那麼簡單，經過這段時間的沈澱，她終於看清兩人之間不單單只有三歲的距離——

當她的人生面臨到重要的分歧點，該選擇繼續戀愛還是結婚呢？

巨浚書的人生計劃是升到外科主治醫生才結婚，到那時候，她都幾歲了？如果她想在這一、兩年內結婚，他們的感情是看不到未來的……

此時，她不禁回想起生命裡的兩次戀愛，這兩段感情都遇到了相同的瓶頸，她

在人生的起跑點上走得太快，跑得太前面了。

和陸一杰交往時，她的事業漸漸有了成績，而他卻還想出國深造。

現在她和巨浚書談戀愛，他還想衝刺事業，她卻在生理壓力之下，必須選擇婚姻。

在談戀愛時，身高不是距離，體重不是壓力，年齡不是問題，可一旦觸及婚姻，所有問題全都浮出來了。

談戀愛和結婚，不能同時並行嗎？

鈴——

驀地，一串鈴聲打斷了可柔的思緒。

她回過神，伸手擦掉頰上的淚，看了眼來電顯示，發覺不是巨浚書後，低落地接聽起。「您好，我是譚可柔……」

「譚律師您好，我是周亞淇，方便出來見一面嗎？」周亞淇在話筒另一端客氣地提出邀約。

「好。」可柔說。

半個小時後，可柔與周亞淇相約在住家附近的咖啡廳碰面。

「譚律師，謝謝妳協助我離婚，還替我爭取到這麼優渥的贍養費……」周亞淇感激地望著她。

「替我的當事人爭取合理的補償金，是我應盡的義務。」可柔說。

「這是我自己做的一些甜品和糕點，請妳帶回去嚐嚐看。」周亞淇將手中的提袋遞到她面前。

「幹麼這麼客氣……」可柔接過提袋，微笑道。

「其實也是想請妳幫我試試口味，因為我跟朋友要合夥開一家甜品店，需要更多試吃後的意見。」

「好。」可柔取出紙盒，掀開盒蓋，裡面放置了好幾塊不同口味的小蛋糕，外形小巧可愛，頗討人喜歡。

她拿起一塊芒果乳酪蛋糕送進嘴裡，芒果的濃烈香氣配上香濃的乳酪，綿密的

滋味在唇舌間化開來，一股幸福的甜味從心底滲出，彷彿嚐到了愛情的味道。

「好好吃，我從來沒有吃過這麼好吃的芒果乳酪蛋糕！」可柔的嘴角染上了一抹笑意，發自內心地讚美道。

「真的嗎？」周亞淇眼底閃爍著興奮的光芒。

「真的非常好吃，味道很特別，給人一種甜甜的幸福感。」她忍不住多吃了一口，好奇地追問：「這道甜點是誰教妳的？」

「教我做這道甜點的……是我的前男友……」周亞淇的神情有股說不出的惆悵與遺憾，頓了頓才說：「他是個甜點師傅，我們交往了很多年，後來我在餐敘上認識曹明航，明知道我跟他個性不適合，但在經濟和現實的考量下，我還是放棄了愛情，選擇嫁給曹明航。」

「對不起，我不是故意勾起妳傷心的回憶。」可柔歉然道。

「對我來說跟他的那段回憶並不傷心，只是有點遺憾。」周亞淇的笑容看來有些苦澀，她聲音低低地說：「是我把婚姻想得太簡單了，兩個人沒有足夠的感情做

基礎，就算生活無虞，也很難彌補內心的空洞……」
周亞淇這番話深深觸動了可柔的心，她似乎懂了些什麼。
如果愛情與婚姻不能並存的話，她最重要的選擇會是什麼？
「說起來真的很難堪，一對夫妻沒有了情分，爭的竟然是支票上的數字，好像只能透過金錢來彌補內心的創傷……」周亞淇自嘲道。
「不要這麼說，也許妳跟甜點師傅還能重新開始。」可柔盈握住她的手，安慰道。
「不可能。」周亞淇搖搖頭，鼻頭匯聚著酸楚。
「不努力試試，怎麼知道呢？」可柔鼓勵道。
「他在前年發生車禍死了，我跟他永遠不會有續曲……」周亞淇哽咽道。
「對不起……」可柔眼眶一熱，沒料到會聽到這麼哀傷的故事。
「沒關係，是我當年不懂得他的好，錯過了一個適合我的男人，還走進一段荒謬的婚姻……」周亞淇硬是擠出一抹虛弱的微笑。「不過幸好我遇見了妳，替我辦

妥離婚手續，讓我能重新開始。」

「不要這麼說……」可柔說。「謝謝妳的甜點，店鋪開張時，一定要通知我。」

「嗯，一定會通知妳的，我先走了。」周亞淇說道。

送走周亞淇後，可柔仍舊坐在咖啡廳裡發呆。

陽光穿過玻璃帷幕，映照出一格一格的光影，落在她的臉上、肩上，還有桌上那盒小巧可愛的小蛋糕。

望著桌上的小蛋糕，她的心彷彿還沈浸在那段哀傷的故事裡。

原來生命不在於能心跳多久，而是能有多少次的怦然心動。

周亞淇生命裡的最愛離開了，留下小甜點做為他們相愛的證據。

而她和巨浚書的故事裡，會留下什麼呢？

是夜。

失眠的她，摟著抱枕，靜靜地躺睡在雙人床上，腦海盤旋著周亞淇的故事，那哀傷的感覺觸動了她的心。

她不想讓自己的愛情也在遺憾中畫下句點。

就算她跟巨浚書的感情走不到最後又如何？

起碼兩人深愛過，付出真心就是永恆。

況且，就算她真的成為高齡產婦，錯過生小孩的機會又怎樣，可以有個男人陪她慢慢變老，也是一件浪漫的事啊！

她翻身坐起，拿起桌上的手機，傳了訊息過去——

今天過得好嗎？

幾分鐘後，漆黑的房裡，小巧的螢幕閃爍一抹藍光，她立即檢視——

醫學研討會結束了，剛剛被教授和科裡的醫生叫去慶功，現在要回家了。

她又迫不及待傳了過去——

那……那要等你回來嗎？

半晌，他又傳了封簡訊過來。

不用了，妳先睡吧，晚安。

看著螢幕上簡短的字句，她的心涼了半截，他對她還是這麼冷淡，他當真不想要這段感情了嗎？

還是擔心已屆適婚年齡的她，會向他逼婚呢？

她坐起身，用顫抖的手指敲下幾個字，在勇氣還沒有消失前，傳了過去——

你還要我嗎？

她忐忑不安地緊握住手機，苦苦等待他的回訊。

每一分、每一秒，都像被尖針刺著自己的心，痛苦不已。

她不能坐、不能睡，只能不斷檢視手機上的訊息，猜測是不是沒有傳出去，還是他所處的地方收訊不好。

十五分鐘過去了，手機一點動靜都沒有。

她的心彷彿沈到深不見底的深淵裡，又黑又暗，連一絲陽光都照不進來。

可柔蜷抱著身體，心痛到說不出話來，感覺快窒息了。

究竟要退讓到什麼程度，才能把他留在身邊呢？

她愈想心愈痛，不爭氣的淚水溢出眼睫，濡濕了半邊枕頭……

叮咚——

驀地，一串刺耳的電鈴聲響起，撕扯著靜謐的黑夜。

她愣怔了下，從床上飛奔下來，連拖鞋都來不及穿，便光著腳，快步走到玄關，打開門。

就著玄關昏黃的燈光，兩人的目光緊緊相鎖，他手邊沈甸甸的公事包滑在腳邊，往前一跨，用力將她摟進懷裡。

她像個迷路走失的小孩，將臉埋在他懷裡，哭得更大聲了。

「這個世界上，只有妳不要我，不可能有我不要妳的時候……」巨淩書雙臂緊緊環抱住她，恨不得將她揉進自己身體裡，永遠都不分開。

從一開始，他們的愛情關係中，選擇權就一直握在她手裡。

他只能被動，等待她最終的答案。

可能是江浩，或其他更符合她結婚標準的人選。

「那你為什麼不回簡訊給我？」她抬起淚眼汪汪的小臉，委屈地瞅著他。

「我想親口跟妳說，我不只要妳，還想永遠跟妳在一起……」

巨浚書捧起她的臉，鼓起勇氣說：「我知道比起江浩或什麼姜代書，我的條件不算優秀，而且一個月還得值好多夜班，也許在妳最需要人陪的時候，我會被困在開刀房……

「跟我在一起可能會很辛苦、會有一點點寂寞，但可以給我們的愛情一個機會嗎？我們試著努力，直到妳累了、倦了，或者認識了一個比我更適合妳、能給妳更多快樂幸福的男人，我會放手……」巨浚書語氣真摯地說。

「我已經遇到那個人了……」她踮起腳尖，在他唇上印下一個吻。「能給我幸福的男人，只有你一個。」

他彎腰拾起腳邊的公事包，順手鎖上門。

「妳確定這樣的選擇不會後悔？」他運用身材的優勢，將她壓向門扉與胸膛之間，深邃的眼眸直勾勾地望著她。

「不後悔，就算你不想結婚也無所謂……」她勾住他的脖子，綻出一抹體貼的

笑容。

他愣了愣，疑惑地道：「我沒有說不結婚啊……」

她是不是誤解了什麼，兩人從頭到尾都沒談到結婚的事吧？

「以前你跟前女友不是計劃升上主治醫生才要結婚？」她眨眨眼，記得當時他是這麼說的啊！

「那……是我以前擬定的計劃，早就隨著我跟她分手而消散了。」況且他那時為了闖入她家，把這故事誇大不少。

「那……現在呢？」她欲言又止。

他能在人生的藍圖裡，留個位置給她嗎？

也讓她陪他實現某些計劃？

「我的人生計劃可以隨時為妳更改……」他抬起她的臉，輕輕拭去她腮頰上的淚水。

「所以……」她輕咬著唇瓣，水亮的眼眸柔柔地望住他。

「如果妳想結婚，我們就結婚吧！」他牽起她的手，在手背上輕輕印下一吻，堅定地承諾。

「如果你不想這麼早結婚，實在不用配合我的年紀啊！」她圈住他的腰，撒嬌道。

她才不想讓人家說，跟輕熟女談戀愛，就是有被逼婚的壓力。

「所以我們現在到底要不要結婚？」他低笑。

怎麼商量結婚大事，搞得跟禮貌運動差不多，互相禮讓來、禮讓去的……

「就……順其自然吧！」她做出最後的決定。

「順其自然？」

「有計劃表，但不訂時間表。」她漾出一抹甜蜜的微笑。

「那生小孩呢？」他撫上她平坦的小腹。

「就……請你量力而為嘍！」她曖昧地眨眨眼。

「那我要讓妳見識一下我的『能力』才行……」巨浚書嘴角勾起一抹惡魔笑

容，攔腰將她抱起，往房內走。

「啊——」

她驚呼一聲，趕緊摟住他的脖子。

他用背部頂開半掩的房門，走向床畔，兩人一起跌躺在雙人床上。

累積半個多月的相思，化成一記又一記灼熱纏綿的深吻，烙印在彼此身上。

他們激切地纏綿著，用最直接親密的方式，告訴對方有多愛彼此。

隨著夜幕緩緩落下，兩人愛的故事正火熱的上演……

尾聲

巨浚書和譚可柔的戀情，在夏天結束前，被前來突擊檢查的譚媽媽發現了，當場「抓姦在床」，還在玄關的鞋櫃找到數雙男鞋、浴室裡搜到男用刮鬍刀一把、櫃子裡還有半打男性內褲等。

物證——上述男性用品。

人證——譚媽媽。

過程——親眼目睹兩人穿著睡衣共躺在同一張床上。

當天早上，譚媽媽對巨浚書盤查了一番，從他的成長過程、求學經歷、當兵經驗、工作情況、昔日情史、未來展望、家族成員等，一一徹底了解後，十分滿意地

將兩人「押送」到戶政事務所，進行結婚登記。

譚媽媽興高采烈地到櫃檯抽取號碼牌，夾在小倆口中間，等待叫號。

「未來的醫生女婿大人，你真是有眼光，懂得欣賞我們家可柔的美……」譚媽媽笑咪咪的，從發現兩人的戀情後，嘴角就沒撇下過。

「譚媽媽，您不用這麼客氣。」那串又長又拗口的稱呼，搞得巨浚書一臉尷尬，淺笑道：「您的稱呼可以再簡短一點沒有關係。」

「那……醫生女婿大人，這個稱呼喜歡嗎？」譚媽媽仰頭笑道，對女兒撈到一個又帥又英挺的醫生老公，滿意到不行。

「隨便。」巨浚書投給可柔一記無奈的笑容，將手伸到身後，隔著譚媽媽，悄悄地牽握住可柔的手心。

甜蜜的小倆口中間夾了一個超大尺寸的電燈泡，形成一幅有趣的畫面。

「醫生女婿大人，我告訴你，我們家可柔就是遺傳到我的美貌、還有她老爸的

聰明，雖然年紀稍稍比你大那麼幾天，但現在姊弟戀正流行嘛……」譚媽媽笑道，努力跟醫生女婿培養感情。

「媽～～」可柔無奈地翻了翻眼，完全拿老媽沒轍。「你可不可以安靜幾分鐘？」

「我又沒有跟妳說話，人家我是在跟我的醫生女婿說話，妳給我惦惦啦……」

譚媽媽瞪了可柔一眼。

「整個大廳都沒有人說話，只有妳的聲音欸！」可柔小聲提醒道。

殊不知，老媽的高分貝早已引來許多側目，害她都有點不好意思了。

「譚媽媽，還有多久才會輪到我們？」巨浚書突然問道。

「大概還要三十幾個人吧！」譚媽媽望了燈號一眼，又忍不住碎碎唸。「怎麼辦理結婚登記的人這麼多……」

「戶政事務所又不是只有辦理結婚登記，離婚登記也有啊！」可柔直率地說。

「呸呸呸……」譚媽媽瞪了可柔一眼，一聽到離婚兩個字就覺得觸霉頭，低斥

道：「妳給我惦惦，閉嘴啦！」

「那妳們可以給我二十分鐘嗎？我出去一下，馬上回來。」巨浚書說。

「醫生女婿大人，怎麼了？肚子餓嗎？要去買東西吃？」譚媽媽關心道。

巨浚書愣了愣，才又說道：「對，我去買個吃的，等會兒就回來，妳們在這裡等我喔！」

「好啊！」可柔仰起頭，朝他柔柔一笑。

巨浚書快步衝出戶政事務所，朝著對街跑去。

「吼！」譚媽媽輕嘆一聲，說道：「醫生女婿大人，跑那麼急，看起來好像很餓耶！」

「大概吧！」可柔懶懶地搭腔，趁著等待的空檔，起身走到書報架，抽起一份報紙，攤開來看。

也許被老媽逼來，先登記結婚也不錯！

否則以兩人互相體諒彼此的心態，不曉得拖到什麼時候才能結婚呢！

「可柔，沒想到妳不鳴則已，一鳴驚人欸，居然這麼跟得上潮流，學人家談起姊弟戀，不錯，有前途！」譚媽媽輕拍她的肩膀。

她對這個醫生女婿大人，實在找不到可以挑剔的地方，比起那些三姑六婆、張伯李叔介紹的人選還要優秀許多。

半個小時過去，譚媽媽和可柔兩人坐在長椅上，看著身邊的人潮，來了一波，又走了一波，遲遲沒有見到巨浚書回來。

「可柔，我的醫生女婿大人，會不會不想結婚，用肚子餓當藉口，逃跑了？」

譚媽媽的表情從興奮到落寞。

該不會她逼婚逼得太急，真的把女婿大人給逼跑了吧?!

「我打給他看看……」可柔撥打他的手機號碼。

鈴鈴！

身旁響起一串熟悉的鈴聲，她低頭一看，才想起來，他把手機和證件都放在她包包裡了。

依照巨浚書的個性，他不可能中途落跑，也不可能一聲不響丟下她。

該不會……

一股不祥的預感爬過她的心坎，她害怕到握住手機的掌心都冒汗了。

「可柔……」譚媽媽叫了叫女兒。

「他手機在我這裡，我們再等看看。」可柔擔憂地垂下臉，一顆心七上八下的，忐忑不安。

「要不然妳跟醫生女婿大人說啦，如果他還不想結婚沒有關係啦，我不會逼他啦……」譚媽媽在大廳裡來回踱步，沒料到自己的逼婚手段，竟會把女兒弄得如此難堪。

十分鐘後，一串串氣球飄過可柔眼前，浮上大廳的天花板。

可柔好奇地抬起眸，看見巨浚書手裡抓著一大串氣球朝她走來，她怔怔地望著他，心中忐忑難安的大石終於落了地。

「醫生女婿大人——」譚媽媽忘情地叫道，就怕準女婿成了落跑新郎。

巨浚書深邃溫柔的眸光定定地望著她，單膝跪在她的跟前，從口袋裡掏出一枚Tiffany鑽戒，真誠地說：「譚可柔小姐，嫁給我好嗎？」

「你、你剛是去買鑽戒……」可柔眼眶一熱，哽咽地說。

「對。」巨浚書點頭說道：「要登記結婚之前，我總要先求婚吧？」

「你嚇到我了……」一顆晶瑩的淚水滾出她的眼眶。

巨浚書望著她，深情地承諾道：「從我決定娶妳為妻那一刻起，我鄭重向妳保證會為妳獻上我的所有，永遠珍愛妳、疼愛妳，以妳的幸福為我首要的顧念，絕不容許任何人破壞我們的婚姻、分化我們的感情……嫁給我好嗎？」

「我願意。」她破涕為笑。

他把戒指套入她的無名指，站起身，用力摟住她，附在她的耳畔說道：「我愛妳……」

「我也愛你……」她柔聲地應了句。

兩人忘情地擁吻著，浪漫甜蜜的氣息感染整個大廳，現場民眾成了他們幸福的

見證者，不斷給予祝福的掌聲。

巨浚書生活週記

【一週大事】

今天是我升上外科主治醫生的日子，也是我和親親老婆結婚六週年紀念日。但這兩個日子再有紀念值價，都比不上我們家小梅西第一天上幼稚園重要。

小梅西，是我和親親老婆一起生的小孩，之所以會叫小梅西，全因為老婆大人太愛那位足球巨星了。

其實啊，我有點小擔心，怕我家的小梅西也跟那個足球球星一樣，身高不夠挺拔。

唉，兒子啊，雖然男人的價值不取決於身高，但你老爸至少也有一百八，你可

要多爭氣一點，多長那麼幾公分啊！

還有啊，親親老婆大人，我們兒子綽號可以改叫貝克漢、KAKA之類的嗎？上述幾位才（球技）貌（長相）雙全，我覺得比小梅西更適合我們家兒子啊！

【老婆評語】

一、兒子的綽號我說了算。

二、小孩子必須在健康、快樂、無壓力的環境下成長，不許你再擔心他的身高問題。

——全書完

編註：想知道巨家另外三兄弟的愛情故事嗎？千萬不可錯過——花蝶1309【大丈夫週記1】《寵妻大男人》、花蝶1320【大丈夫週記2】《追妻壞男人》、花蝶1339【大丈夫週記3】《馴妻酷男人》。

後記

艾蜜莉

老天爺啊！

我解脫了！

歷經一番奮戰，我終於把巨家四個大男人出清完畢，各自送給他們一個不算完美的老婆。

想想，真是辛苦，這四本稿子，花了我快一年的時間。

去年九月才開始寫第一本《寵妻大男人》，到今年七月寫完最後一本《愛妻小男人》，嗚，仔細算來，這種寫稿速度近乎可恥啊！

橫跨了好幾個季節，中間還過一個新年、一個清明節、一個端午節，幸好終於在中秋節來臨之前，寫完了。

我想，有生之年，再也不會有四本一套的系列作了。（沒辦法，四本太多了，要寫好久哦，嗚～～）

哈啦完畢，繞回故事的主題。

在小說裡，女主角家洗澡，男主角家淹水的事，千真萬確發生在我的身上。

話說某年，我跟友人在鬧區合租了一間小套房。

套房是那種頂樓加蓋，隔間裝潢而成，不要說隔音效果不好，連排水設施都很差。

記得有一晚，隔壁的小姐洗澡後忘記關水龍頭，然後很高興地跑去跟朋友夜唱狂歡一整晚，結果到了早上時，我醒過來，感覺鋪在地板上的彈簧床怎麼睡起來濕濕的……

該不會——

喔，買尬……

定睛一看，所有的家具全都泡在水裡，十塊錢的拖鞋還漂浮在水中。

整張彈簧床全都濕的，擺放在最底層的書也泡水了，損失慘重啊！

其實住在那間套房裡，還發生了許多驚恐、靈異、可怕、緊張、有趣等事件。

若是有機會，我還滿想把那些驚悚、爆笑的經歷寫進小說裡，因為每次和友人談及這段往事，大夥兒都回味不已。

愈慘痛的故事，回憶起來更加有趣啊！

狗屋出版社　台北市104龍江路71巷15號　網址：love.doghouse.com.tw
電話：(02)2776-5889　傳真：(02)2771-2568　總經銷◎知遠文化　電話：(02)2664-8800

愛情以最神秘詭異的方式報到，
兩人之間就像意外上映的真實愛情戲，
溫柔也暴烈，還無從彩排。
這場戀愛非得如此刺激不可嗎……

待嫁姑娘挑相公，應是選個俊公子，
再好有錢有勢，最是上選；
偏偏她們自有堅持，千挑萬選卻相中最意想不到的對象，
難道真是**【鬼迷心竅】**，是非不分了……

【鬼迷心竅】小套書　花蝶系列 1376

《春色無邊開》◎淘淘

戚冬少天生一雙媚眼勾人，只要是讓他看上的獵物，
不分男女老幼，無不春心蕩漾、乖乖聽話，任他捏圓搓扁，
偏偏一遇上小魚這不解風情的ㄚ頭，他的媚術毫無作用，
別人是見了他便愛上了，可她一見他就要暈過去，氣煞人也！
不把她抓回來調教調教，豈不砸他的名聲？!
這戚大少爺是吃飽沒事做嗎？做啥老是直勾勾地盯著她瞧，
瞧不出個名堂便發脾氣，性子陰晴不定的，真難相處！
況且他老是嫌她笨笨傻傻又慢吞吞，哼，她也是有尊嚴的，
怎可任人打不還手、罵不還口？即便打不過他，她走人便是，
可他三番兩次不肯放手，好似跟她纏上了，怪喔……

【鬼迷心竅】小套書　花蝶系列 1377

《富貴逼人嫁》◎喬安

有錢能使鬼推磨，沒錢萬萬不能行！仲孫隱成日與錢為伍，
加之生財有道，對這道理深信不疑，故即便行事力求低調，
渾身也難以擺脫富貴之氣，但男人嘛，貴氣點也無妨，
他心安理得，怎知這天居然有個叫柳必應的小姑娘找上他，
要他娶她為妻？! 噯，錢可以多賺，妻子不能亂娶，
她到底是說真說假……
天下再沒有其他男人比仲孫隱更適合做她丈夫！
瞧他那身金光閃閃、瑞氣千條的衣著，簡直教人睜不開眼，
還會賺錢，她若要完成此生的「心願」，非這男人不可，
她定要他點頭答應成親，這輩子便了無遺憾……

不是猛龍不過江！今夏最想尖叫的小套書，千萬不要錯過啊！

淘淘作品集

《花蝶系列》1359 奴婢飛上天‧1376春色無邊開

喬安作品集

《花蝶系列》176 寵妻一下下‧287 相思一點點‧356 嫁得容易‧413 騙世天女‧
451 一想到妳呀！‧491 夫求去‧582 夏天‧1377富貴逼人嫁
《采花系列》259 食樂公主‧407 奴婢不敢‧488 照子放亮點‧538 寶貝最寶貝‧
601英雄本無敵‧637小奴兒討喜‧674 相公的嫁妝‧705 娘子不服氣‧830 甜妻

狗屋出版社 台北市104龍江路71巷15號 網址：love.doghouse.com.tw
電話：(02)2776-5889 傳真：(02)2771-2568 總經銷◎知遠文化 電話：(02)2664-8800

唉～～人倒楣的時候，
就連死神也會搞烏龍，
居然不小心牽錯了她的魂，
害陽壽未盡的她白白枉送性命……
嗚嗚嗚！誰能還她一個公道啊？

莫顏

創 意 浪 漫 天 后

為 你 獻 上 超 有 梗 的 爆 笑 愛 情 故 事 ～～

采花系列 988

《死神搞烏龍》

她活著的時候倒楣，死的時候也很冤，
遇到一個烏龍死神牽錯魂，害她白白枉死！
雖然她很火大，但眼看死神鼻涕眼淚齊流，
而且還提出很誠懇又划算的補救方案——
找個年輕貌美又身材窈窕的軀殼讓她起死回生，
而且還加送三個月的壽命，不滿意還可退貨！
那她就勉強答應去還陽嘍～～

溫翰宇和邱雲瑤早已是有名無實的夫妻，
即便要面對她的死訊，他也能平靜面對！
但令他意外的是，她在奇蹟般的甦醒之後，
向來驕縱任性、愛美又自私的她，
居然會開始下廚打掃，理由是她想舒展筋骨？
甚至變得環保節儉，還說是為了讓生活有變化？
他相信這肯定是貪得無厭的邱雲瑤，
為了爭取巨額離婚贍養費所做的詭計，
因此他決定繼續對她擺冷臉，絕不上當！

莫顏作品集

《橘子說系列》 554笑將軍・570心動不講道理・600邪王・619怒堡主・644花嫁刺客・657蠱王・663媚誘鐵捕大俠・689帥哥入侵・709情婦任務・735冥王・740盜狼・751笑面軍師・760大人怕怕・796戀愛秘書・807天外飛來丈夫・818家有夫奴・833我的吸血男友

《花蝶系列》 644團圓・825戀人出租・918妒夫・1232相公好乖

《采花系列》 244戀戀女主播・445微酸美人・475愛上吸血鬼・796大清酒王・911酷男別亂咬・981 妖媚狐・988 死神搞烏龍

狗屋出版社 台北市104龍江路71巷15號 網址：love.doghouse.com.tw
電話：(02)2776-5889 傳真：(02)2771-2568 總經銷◎知遠文化 電話：(02)2664-8800

他要讓她明白，即使分開，愛也可以重來，
熱情還能更烈……

香奈兒

采花系列 985

《前妻再教育》【心有獨鍾】之二

天知道他根本不想放她走，但心愛的女人對他在意太多、信心太少，
他怎麼付出都不夠，只能忍痛答應離婚放她走，故意不連絡，
卻偷偷在她身邊安排眼線，等待時機再把老婆追回來，來個101次求婚……

最in新作

《花 蝶 系 列》1158萬能酷男秘書・1189不適任老公・1205零缺點老婆・
1225分不開戀人・1245難得有情郎・1266難捨下堂夫・1287難誘冷情君・
1310惡夫當道・1334小妻寶貝

《采 花 系 列》657好想喊你親愛的・675管你配不配・696追我好不好・
706快點向我告白吧・724跟你結婚也不錯・739一定要說我願意・
964老公要換新・985前妻再教育